DU MÊME AUTEUR

Aux Éditions Gallimard

CHRONIQUE DES SEPT MISÈRES, roman, 1986. Prix Kleber-Haedens, prix de l'île Maurice.

CHRONIQUE DES SEPT MISÈRES, suivi de *Paroles de djobeurs*. Préface d'Édouard Glissant (« Folio », n° 1965).

SOLIBO MAGNIFIQUE, roman, 1988 (« Folio », n° 2277).

ÉLOGE DE LA CRÉOLITÉ, avec Jean Bernabé et Raphaël Confiant, essai, 1989.

MARTINIQUE, X. Richer, 1991.

ÉLOGE DE LA CRÉOLITÉ / IN PRAISE OF CREOLENESS, 1993. Édition bilingue.

TEXACO, roman, 1992. Prix Goncourt 1992 (« Folio », n° 2634).

ANTAN D'ENFANCE, 1993. Éditions Hatier, 1990. Grand Prix Carbet de la Caraïbe (« Folio », n° 2844 : *Une enfance créole*, I). Préface inédite de l'auteur.

ÉCRIRE LA « PAROLE DE NUIT ». LA NOUVELLE LITTÉRATURE ANTILLAISE, en collaboration, 1994 (« Folio Essais », n° 239).

CHEMIN-D'ÉCOLE, 1994 (« Folio », n° 2843 : *Une enfance créole*, II).

L'ESCLAVE VIEIL HOMME ET LE MOLOSSE, roman, avec un entre-dire d'Édouard Glissant, 1997 (« Folio », n° 3184).

ÉCRIRE EN PAYS DOMINÉ, 1997 (« Folio », n° 3677).

ELMIRE DES SEPT BONHEURS. CONFIDENCES D'UN VIEUX TRA-VAILLEUR DE LA DISTILLERIE SAINT-ÉTIENNE, 1998. Photographies de Jean-Luc de Laguarigue.

ÉMERVEILLES, avec Maure, « Giboulées »/Gallimard Jeunesse, 1998.

LE COMMANDEUR D'UNE PLUIE, suivi de L'ACCRA DE LA RICHESSE, avec William Wilson, « Giboulées »/Gallimard Jeunesse, 2002.

BIBLIQUE DES DERNIERS GESTES, roman, 2002 (« Folio », n° 3942).

À BOUT D'ENFANCE, 2005 (« Folio », n° 4430 : *Une enfance créole*, III).

UN DIMANCHE AU CACHOT, 2007 (« Folio », n° 4899).

LES NEUF CONSCIENCES DU MALFINI, 2009 (« Folio », n° 5160).

Suite des œuvres de Patrick Chamoiseau en fin de volume

L'EMPREINTE À CRUSOÉ

PATRICK CHAMOISEAU

L'EMPREINTE
À CRUSOÉ

GALLIMARD

À Son Altesse sérénissime,
le comte Guillaume Pigeard de Gurbert,
juste comme ça, tout contre,
mais sans philosophie.

P. C.

Je crois impossible de peindre au vif les transports et l'espèce d'extase où se trouve l'homme qui se voit sauvé de la sorte, et arraché, pour ainsi dire, du fond du tombeau.

DANIEL DEFOE, *Robinson Crusoé*

Et ma solitude n'attaque pas que le fondement des choses, elle mine jusqu'au fondement même de leur existence.

MICHEL TOURNIER,
Vendredi ou les limbes du Pacifique

Ainsi est éteinte la genèse, et, de destruction, on ne doit pas entendre parler.

PARMÉNIDE, *Le Poème*

Partons donc de cet aveu d'impénétrabilité.

VICTOR SEGALEN

Il n'est pas d'arrière-pays. Tu ne saurais te retirer derrière ta face.

ÉDOUARD GLISSANT

Quelle tâche colossale que l'inventaire du réel.

FRANTZ FANON

Sommaire

JOURNAL DU CAPITAINE

22 juillet – En l'an de grâce 1659 – Ces voyages vers le nouveau monde n'en finissent pas de me surprendre, et la divinité sait combien j'en ai mené durant ces vingt dernières années. Aux premières lueurs du jour, nous avons abordé une mer d'algues bleues, scintillantes, avec des reflets roses qui se répercutaient sur le ciel et la matière des bas nuages. Après la tempête que nous venions d'essuyer, c'était comme si nous entrions dans un monde de féerie légère où le réel se mettait à trembler légèrement...

Les vents étaient faibles, cependant j'ai fait ramener de la voilure pour que l'équipage puisse vivre cet instant très étrange. Tout le monde s'est penché aux bastingages, certains ont escaladé les filins, ou se sont agglutinés sur la tour de vigie, et dans un silence stupéfait, quasi religieux, nous avons contemplé ce prodige que notre vaisseau divisait très doucement...

15

Nous devrons atteindre Saint-Domingue puis le Brésil dans quelque temps, la cale est silencieuse, pas de cris, juste l'odeur effrayante que j'ai fait combattre une fois encore à coup de vinaigre chaud et d'herbes à fortes senteurs...

1. L'idiot

seigneur, je naquis de nouveau en cette année dont je ne savais rien, en cette heure d'équinoxe sur mon île oubliée, sans doute à l'instant même où j'éprouvais le sentiment de m'insinuer entre deux masses de lumière : celle qui provenait du brasillement de l'océan, et l'autre que constituait la phosphorescence implacable de la plage ; et ce que j'avançais entre les deux, ce n'était pas seulement mon corps, mon parasol, mes hardes en peaux de bêtes, mon mousquet cliquetant, ou même ce sabre qui me battait la jambe au bout du baudrier ; non ; c'était une superbe corporelle et mentale qui résumait ces vingt années de solitude durant lesquelles j'avais malgré tout réussi à dompter l'infortune ;

je m'étais déplacé vers cette partie de l'île car depuis quelque temps j'éprouvais le sentiment d'être sauf du péril ; je croyais avoir atteint ce stade ultime d'ordre et d'organisation où rien n'aurait pu me ramener en arrière ; j'avais apaisé les démons du sang, des chairs et de l'esprit, domestiqué des peurs, vaincu ces régressions qui bien des fois m'avaient vautré à la manière des crapauds ladres dedans les marigots ; et plus encore : j'avais su conserver le don de la parole ; et même la faculté d'écrire ; et si le curieux petit livre rescapé du naufrage de la vieille frégate n'avait jamais atteint à mon clair entendement, j'avais maintenu jour après jour le geste de l'ouvrir, l'envie de le feuilleter, la coutume de le lire, pratiqué cette liturgie d'en recopier très souvent au hasard ses phrases énigmatiques ;

cela faisait longtemps que je n'étais pas revenu-là, en cet endroit où j'avais touché terre à l'équinoxe d'automne, inaugurant sans le savoir encore l'éternité d'une tragédie dépourvue de témoins ; oublier cette plage avait été ma manière de larguer l'espérance d'un départ de ce lieu, le sanglot du possible retour ; ainsi, j'avais formalisé ma volonté d'assumer cette île, ma solitude, mon désespoir, mes oublis et mes larmes, et d'en faire, à force de travail, d'ordre et de raison, la matière d'un destin ; sitôt que cela me fut possible, j'avais donc viré le dos à ces années biliaires épuisées à guetter une voile dans ce métal de sel qui plombait l'horizon ; mes premières années furent des années sans vie à battre l'espère d'une visite, à la redouter aussi de par la crainte des cannibales natifs de la région ; un jour, j'avais déserté ce rivage, comme ça, d'un coup, sans y avoir réfléchi à l'avance, d'abord pour m'éloigner de cette plage et de ses vaines attentes, puis pour explorer au cœur de l'île et la prendre finalement au collet ; soucieux de ne pas retomber dans la crainte initiale, j'avais rayé cet endroit de mes labours et pâturages, l'avais mis à l'écart de mon grand-œuvre de civilisation ; je n'y venais jamais ; je l'effleurais à peine, le condamnant ainsi à sa pauvre sauvagerie ; et cette fierté nouvelle, cet apaisement qui m'autorisait enfin une resquille de bonheur, me permettait d'y revenir maintenant du pas d'un grand seigneur, sans trouble, sans crainte, avec juste la satisfaction d'appréhender, d'une même vision d'ensemble, le lieu dramatique du départ et la splendeur de ce que j'avais réussi à devenir;

après toutes ces années, je peux dire que là j'étais heureux, sans espérantouille vaine, sans la gale d'un regret, juste impeccable dans mon ordonnance souveraine de cette rognure de terre; j'envisageais mon avenir avec sérénité; l'idée de mourir-là ne m'effrayait plus; je me souvins que cette perspective avait constitué une de mes fixes angoisses; trépasser sur cette île aurait livré mon corps aux fourmis rouges et crabes poilus qui me dégoûtaient tant; cette image de mon corps désagrégé ainsi m'accablait du sentiment d'une parfaite damnation; j'avais alors créé, au nombre de mes hautes fondations, le lieu d'un cimetière — sacré avec emphase : « *Mémorial de l'humain* »; je l'avais situé sur un morne de rocailles, une désespérance venteuse, aride, roussie par le soleil, dans laquelle aucun ver ne pouvait subsister, et donc inaccessible par nature à ces bulles de pus qui travaillent les charognes; et là, je m'étais creusé un trou, tapissé de cotonnade translucide, auprès duquel j'avais ourdi un parapet de bois tressé qui retenait une volée de pierres; une fois longé au fond de mon caveau, il m'aurait été loisible de décider de mon ensevelissement par une liane qui déclenchait un petit mécanisme; les pierres devaient alors me recouvrir pour toute l'éternité tandis qu'un mât, surmonté d'une lanière flottante, aurait signalé aux quatre horizons l'endroit de mon sépulcre; au pied de ma croix se trouvait dissimulé un libelle présentant ma personne et l'infortune qui fut la mienne;

dès lors, j'avais guetté la moindre chute de mes vitalités dessous la dent des fièvres, les amollissements insidieux de mon corps ou de mon esprit; au moindre soupçon, je séjournais à proximité de ma tombe le temps de me soigner, et prêt à m'y longer si l'ongle glacé de la grande Faux se précisait sur moi; j'avais connu bien des moments de désespoir où il m'aurait été plaisant d'en finir sans attendre, mais la simple idée d'abandonner mon âme à une telle solitude, si loin de tout possible, m'insufflait le courage de poursuivre; aujourd'hui, j'avais oublié où se trouvait cette tombe; mourir ici ne me faisait plus peur; une part considérable de l'île était devenue mon œuvre, une belle ouvrage, dans laquelle ma mort pouvait très dignement s'inscrire malgré l'offense des charognards; la vie d'un homme n'a de sens que s'il la vit sous l'exigence la plus élevée possible; n'être ni un animal, ni un de ces sauvages qui infestent le monde; cela, je l'avais réussi; j'étais devenu un fondateur de civilisation; et sur cette plage du commencement, je voulais le proclamer à la face de ces dragons de lumières et de ce monstre de puissance verte que constituait cette île;

*

revenu à ce point de départ, la question de mon origine me traversait l'esprit : je ne savais toujours pas comment j'avais atterri-là, et ni quand ni pourquoi; je m'étais imaginé survivant du naufrage de ce navire que j'avais découvert échoué dans la mâchoire des cayes, à quelques encablures du lieu de mon réveil; une frégate que j'avais explorée et pillée comme une caverne orientale, comme une chronique du monde occidental, relique de toute l'humanité, et qui m'avait fourni le matériau du commencement, ou du recommencement; mais j'avais eu beau fouiller les vestiges mémoriels — livres parchemins registres qui au fil des ans sont tombés en poussières — je n'avais rien trouvé qui eût pu m'expliquer ce que je faisais-là, ni pourquoi j'y étais, d'où je venais et surtout qui j'étais;

il y avait eu cette période intense durant laquelle je m'étais mis à fouiller la frégate; l'épave s'était révélée tellement riche d'outils, d'armes, d'images et d'ustensiles divers, qu'elle avait très vite constitué pour moi le tabernacle d'un monde hautement désirable, qui allait tant gaver mes imaginations; l'eau en avait inondé les trois quarts; le sable en avait comblé les parties basses; les soutes restaient inaccessibles, mais là où je pus fourrager à loisir — avant qu'une brusque tempête ne la renvoie dans un repli du temps — j'avais trouvé de quoi effectuer un... recommencement de civilisation... vraiment, tout un ensemble de comportements, de valeurs et de postures que je fis découler de ces milliers d'objets; dans un premier temps, pour définir mon origine, j'avais mené à leur encontre une véritable inquisition, recherchant sur chacun d'eux des indices, des noms, des lieux, des marques de lignées; je n'avais rien découvert qui eût pu se rapporter sans équivoque à moi; j'étais alors tombé à corps et âme perdus sur un coffret de nécromancies et de divinations; il était rempli de boulettes de cristal, de lanières surchargées de formules servant à des invocations, cartes, dés, cauris, baguettes, philtres, poudres, flacons, et charge d'abracadabras dont je ne perçai jamais le bon usage; appliquant les préceptes d'un manuel que l'eau avait démantelé, je m'étais revêtu de quelques vêtements qui se trouvaient à bord et qui en l'occurrence ne pouvaient appartenir qu'à des âmes trépassées; j'y avais ajouté une grande toile blanche, recueillie dans le gaillard d'avant, sorte de linceul qui devait servir à balancer les corps durant les pompes funèbres effectuées en haute mer; j'avais mangé pendant dix jours du pain noir azyme, un peu pâteux, rempli de sel; j'avais dormi sur un tapis de crabes morts; j'avais avalé de petits charognards tout imprégnés de la chair de cadavres; pratiqué des fumigations d'encens, et disposé autour de moi de bien complexes figures avec des os d'oiseaux; puis j'avais appelé les morts, les esprits, les spectres, qui devaient sans aucun doute rôder dans cette sinistre frégate; après leur avoir posé de multiples questions enchâssées dans des formules ad hoc, je m'étais mis à l'écoute de leurs signes et conseils; seul un silence grisâtre m'était revenu, avec parfois un remugle d'abîme qui laissait à penser que j'étais désormais bien au-delà de toute réalité, en une contrée où la puissance des morts elle-même ne laissait aucun accès possible à une quelconque chance;

*

la seule possibilité qui me fût discernable (comme une fêlure dans une muraille aveugle) provenait du baudrier qu'à mon réveil j'avais trouvé emmêlé à mes jambes; il s'était entortillé à un morceau d'étrave, m'y avait arrimé, l'érigeant de ce fait en bouée inespérée; cet hasard m'avait sans doute gardé sauf dans le concassage des cayes et des débris divers où j'avais dû tourbillonner, jusqu'à être propulsé sans âme et sans mémoire dans l'écume de la plage; face au silence des morts, j'avais été forcé de m'en tenir à ce seul baudrier et à m'y accrocher ;

ce baudrier portait une inscription sur l'une de ses lanières brodées ; un sceau de propriété, calligraphié à l'ocre rouge ; un nom, le nom d'un homme ; comme je n'avais pas trouvé un seul bougre d'équipage, ni dans les coursives, ni dans les cabines, ni dans les trous du pont ; qu'il n'y eut les jours d'après que ces cadavres — moitié mangés moitié décomposés — que les tempêtes restituaient à la plage, qu'il n'y avait rien de reconnaissable en eux, ni en identité ni en humanité, j'étais de fait la seule survivance capable d'assumer un nom d'homme ; face à la béance hagarde de ma mémoire, je pris l'habitude de me nommer moi-même ; avec quoi ?... avec bien entendu cette inscription sans origine et sans assignation : Robinson Crusoé ;

c'est elle qui pendant ces vingt ans devint un réceptacle qu'il me fallut remplir ; cela ne relevait pas d'une déclaration d'identité mais d'un vœu d'existence, comme d'un chemin à entreprendre sur la carte terrifiante de cette île ; je m'en étais gargarisé maintes fois, en pleurant, en hurlant, en vomissant, en souriant, en somnolant parfois, dans des bouffées de délire ou de mélancolie douce ; et, cette appellation, je me la redisais une fois encore ce matin-là, mais dans une sérénité naturelle et tranquille qui s'accordait à mon état d'esprit : *je m'appelle Robinson Crusoé, et je suis le seigneur de ce lieu* ;

ce mystère de mon origine m'avait torturé bien longtemps, mais les affres de ma survie prirent très vite le dessus ; j'étais même un peu surpris de voir surgir cette interrogation alors que j'effectuais ce simple pèlerinage sur le lieu initial ; dans ce trou qui me servait de mémoire, quelque chose me troublait encore, comme cela m'avait toujours troublé à chacune de mes introspections ; ce n'était pas le détail de ma provenance, ni même sa vérité ; c'était que je la sentais reliée à quelque chose d'insupportable, *une immense douleur,* et qui (bien plus que le désir d'une quelconque filiation) constituait le lieu d'impact de ce passé inscrit indéchiffrable en moi : j'en portais sa souffrance sans savoir ce que cela pouvait être, d'autant que je n'arrêtais pas de me convaincre que l'origine n'avait pas d'importance — l'important étant que je sois Robinson Crusoé, seul maître après Dieu, et seigneur de cette île ;

*

ma nouvelle noblesse sédimentée par vingt ans de survie s'inscrivait donc dans cette broderie : deux mots, un nom, rien qu'une trace sans blason ; je me disais qu'il était doux de relever d'une absence d'origine ; cela seyait bien à cette majesté sans spectateur dont je menais l'usage ; grâce à elle, ce que j'étais devenu surgissait à la verticale de moi-même, y prenait source sans lignée, sans aucune ascendance, et le premier stade de cette naissance à moi-même s'était accompli juste au moment de mon réveil de naufragé sur cette plage maudite ;

*

mon réveil... cette douleur... une lacération de ma conscience devenue soudain une torche hurlante ; j'avais regardé autour de moi sans comprendre où j'étais, puis

26

la terrible réalité de cette île avait éclaboussé l'à-plat de toutes mes perceptions; cela devait engendrer en moi de longues années de terreur plus ou moins vive, plus ou moins exprimée; mais revenons, seigneur, au moment de l'impact...

je m'étais ranimé, hagard, vertigineux, tout plein de misères et de fièvres, incapable de comprendre où j'étais; le soleil se couchait quelque part, dans des luminescences qui, du fait de mon trouble, se transformaient en des reflets de forge sur ce monstre végétal que constituait cette île; j'avais été pris de terreur à l'idée d'être tombé dans un de ces endroits que redoutent tant les plus vieux des marins, et dans lesquels des milliers de navires et tout leur équipage disparaissent à jamais; à beau écarquiller les yeux, je ne disposais d'aucun repère connu, tout était étrange, et pas seulement étrange mais comme mort à la signification familière; il me fallait un désagrément du regard et de l'esprit pour donner un semblant d'intelligibilité à ce que je percevais; la terreur démultipliait jusqu'à l'horrible le moindre mouvement de feuilles, la moindre glissade de crustacés, ou les cris mélangés des insectes invisibles et des oiseaux bizarres; mes yeux effarés déformaient la moindre forme en vampire grimaçant, toute pointe se muait en croc, toute courbe dégénérait en griffe; ce qui n'avait pas de tournure devenait une fermentation démoniaque ou un grouillement de dévoreurs visqueux; la mer dressée en face de moi, me léchant de son écume acide, n'était plus qu'un borborygme affairé à l'absorption des matières d'une tempête récente; et l'air était chargé de cette odeur d'algues mortes qui auréole les ouragans et qui demeure longtemps après comme juste parfum d'un complet désespoir;

27

réfugié dans un arbre, je m'étais entortillé sur la plus fine des ramures, à l'extrémité la plus retirée capable de supporter mon poids; j'avais donné le dos au ciel et braqué ma conscience sur la menace du sol, scrutant le feuillage, détaillant l'existant d'une pupille enflammée à mesure que s'imposait la nuit montante; j'avais passé cette nuit tout entière à guetter tressaillir et vomir, à ressentir des frôlements de dragons, et de je ne sais quelles reptations de goules ou de loas; au lever du soleil, je m'étais retrouvé éperdu de fatigue et de peurs, accroché de travers à la branche mollassonne, et j'avais failli dégringoler les dix mètres de hauteur où l'épouvante m'avait comme expédié à tous les diables;

*

ma première matinée fut consacrée à arpenter cette plage, à pas inquiets, à pas rentrés, à pas désespérés; comme je me sentais fiévreux, je m'étais préparé une décoction de rhum et de tabac que je sirotais à longueur des minutes, et avec laquelle je me frottai le corps avant de me terrer quelque part pour la nuit; je tournais le dos à l'île qui ne m'intéressait pas; elle me semblait à la fois défunte et menaçante, dépeuplée et grouillante; j'essayais de l'oublier pour ne me consacrer qu'au spectacle de la mer dans l'espoir du navire mystérieux qui m'avait porté là; les jours avaient passé ainsi; je ne sais combien de jours identiques, combien de semaines, à labourer le sable de mon attente pharaonique, à fiévriser de faim, à craqueler de soif; à bout de forces, j'engloutissais des coquillages ou des algues tendres, désinfectés d'une langue dévote juste avant d'avaler; par crainte de ne pas être au bon endroit, j'allais et revenais de trente coudées de part et d'autre du point exact où je m'étais réveillé; cet arpentage obsessionnel avait fini par creuser dans le sable un sillon de plusieurs pouces de profondeur; il posait une frontière entre l'écume et l'île, et rayonnait de tant d'angoisses que les crabes s'en éloignaient; des tortues gigantesques qui s'en venaient nicher opéraient un brutal demi-tour en parvenant dessus; mais ce circuit désespéré avait fini par s'allonger, jusqu'à m'amener au bout d'un promontoire où j'avais découvert tout soudain la frégate : elle gîtait comme une ville parmi les cayes aiguës, déjà vieille et ancienne, et dégageant ces effluves de sanglots qui, d'après les plus vieux des marins, prédisent l'apparition des vrais vaisseaux fantômes; mon soulagement fut donc de courte durée; ça ne pouvait être que ce navire qui m'avait transporté en cet endroit maudit, pourtant il semblait échoué-là depuis déjà mille ans : ses voiles désenchantées, ses cordages dépressifs n'étaient plus que des toiles d'araignées que les vents ancestraux auraient effilochées; je m'étais effondré à genoux dans le sable, pas seulement en total désespoir, mais précipité dans la spirale d'un pas-possible où l'équilibre de mon esprit allait aux sarabandes;

*

cette incompréhension majeure était faite de deux frappes : d'un côté, l'énigme de mon échouage dans un tel lieu; de l'autre, la sensation d'y être de toute éternité comme le sable ou les crabes; ce trouble d'en être et de ne pas en être, d'être menacé du dehors et saisi du dedans, restera au fondement de ma dramatique existence dans cette île sans espoir; pas un oiseau, pas une bestiole, pas une feuille, pas un fruit, pas un seul ordinaire qui me soit familier ; chaque détail était un cri d'hostilité funèbre ; le ciel faisait couvercle et la mer faisait mur, et ils n'en finissaient pas de se confondre jusqu'à former une prison dont l'emprise invisible s'était comme arrimée dans chaque fibre de mes chairs ;

*

très vite, je m'étais prémuni contre cette puissance hostile ; j'avais entrepris de me constituer un couvert acceptable en améliorant une cavité dans un éboulis de grosses pierres volcaniques entre lesquelles s'enchâssaient les racines de trois figuiers maudits ; dès lors, j'avais consacré des semaines à y entasser ce que j'avais pu rapporter de la frégate avant sa brusque disparition ; autour de cet abri de fortune, je m'étais érigé des clôtures de bambou, renforcées d'épineux, afin de dérouter ces fauves sanguinaires que j'imaginais rôdailler aux entours ; de jour en jour, j'avais poursuivi mes sauvegardes, sans jamais m'éloigner de la plage, ni de ces touffes de bois secs destinés à faire flammes et fumée sitôt le surgissement d'une voile à l'horizon ; pour ce faire, j'avais disposé auprès de chacun d'eux de l'amadou, un peu de poudre à canon et une pierre à briquet ; je rejoignais la frégate sur un radeau de bois gommeux consolidé avec des lianes dont la tresse séchée ressemblait à du chanvre ; je disposais là-dessus autant de charge que possible, puis je regagnais la rive à grandes poussées de rames pour m'extraire au plus vite de la succion des cayes ; je ne m'arrêtais qu'à la nuit déclarée, pour reprendre dès le devant du jour ; à certains moments, je me retrouvais bloqué sur la frégate : des ailerons de requin sillonnaient le passage; ou alors de grandes raies aux ailes noires qui figuraient des diables s'attardaient sans raison aux abords de l'épave; j'attendais que ces calamités s'en aillent avant de rapporter mon butin qui finit par constituer un vrai capharnaüm tout au long de la plage : *cordages, bouts de voile, bisaiguës, marteaux, clous, rabots, bonnets, bouts de chaînes, sabres, harpons, barriques de poudre, maillets, mousquetons, pistolets, huilier, branles, tente de grosse toile, ficelles, aiguilles, barriques de biscuits secs, burins, tonneaux de rhum, couteaux du chirurgien, flacons de graines diverses, salières, fourchettes, sabots, chausses, cantines, coffres et coffrets cadenassés...* une telle accumulation d'objets me rassurait infiniment, comme si cela dressait entre moi et cette île un rempart bienfaisant; je n'en finissais pas d'en rapporter frénétiquement, d'en amasser avec gourmandise, puis de contempler leur étalement baroque sur des dizaines de mètres en les égrenant un à un dans ma tête... *poinçons, théières, sucriers, éponges, trousseaux de clés, équerres, longue-vue, soupière, boîtes à bijoux, quincailleries et ferrailles, brosses, petits boulets, cisailles, limes plates, arquebuses, chassepots, caissettes, limes rondes, boîtes à plomb, assiettes et gamelles, crucifix...;*

mais durant ces transports incessants et ces premières fortifications, j'entrepris tout autant de me forger une armure intérieure, la plus humaine possible; un œil fixé sur l'horizon dans l'espérance d'une voile, je m'imaginais un père, une mère, des frères et sœurs, un village quelque part dans le monde, je m'inventais des peuples d'ancêtres qui m'auraient légué ce capharnaüm, je peuplais les confins de la plage avec une foule de démons coutumiers et des dieux de lignage gardiens de mon berceau...; sur cette base, je commençai à habiter mon nom, *Robinson Crusoé,* à y creuser ma place ; les objets rapportés de l'épave alimentèrent mes imaginations d'une dimension occidentale, j'étais prince, castillan, chevalier, dignitaire de grande table, officier de légions ; j'allais entre des châteaux, des jardins de manoirs, traversais d'immenses salles habillées de velours ; déambulais sur des pavés crasseux, dans des ruelles jaunies par des lanternes huileuses ; longeais des champs de blé qui ondoyaient sans fin au pied de hauts remparts... ; mais des images étranges surgissaient des trous de ma mémoire : vracs de forêts sombres dégoulinantes de mousses, des villes de terre auréolées de cendres et de jasmin, dunes de sable avalant l'infini, falaises recouvertes d'oiseaux noirs battant des ailes cendreuses ; ou bien des cris de femmes qui mélangeaient l'émotion de la mort à des chants d'allégresse... ; à cela s'ajoutait un lot d'étrangetés qui semblaient remonter de ma substance intime — ... *l'arrivée d'un chacal qui embarrasse des dieux... des lézards noirs et blancs qui tissent des étoffes... des jumeaux dans une calebasse de mil... bracelets de prêtres cliquetant autour d'un masque à cornes...* —, mais elles étaient tellement incompatibles avec l'ensemble de mes évocations que je les mis au compte d'un résidu de souvenirs appartenant à quelque marin vantard que j'aurais rencontré ; de fait, reliées ensemble, mon imagination à partir des objets et ma mémoire obscure ne faisaient que chaos : toute possibilité de mettre au clair mon origine réelle disparaissait alors ;

*

quoi qu'il en soit, ces chimères ne durent pas être probantes ; à mesure que j'affrontais la puissance ennemie qu'étaient cette île et son entour, il m'arriva de défaillir au point d'admettre cette absence d'origine personnelle; abandonnant toute consistance, je m'imaginais crabe, poulpe dans un trou de poulpe, petit de poulpes dans une engeance de poulpes; je me retrouvais à faire le crapautard dans les bulles d'une vase; mais le pire surgissait lorsque j'atteignais le point fixe d'une absence à moi-même : mon regard alors ne se posait sur rien, il captait juste l'auréole photogène des choses qui se trouvaient autour de moi; je me mettais à renifler, à grogner et à tendre l'oreille vers ce qui m'entourait; dans ces moments-là, je cheminais avec la bouche ouverte dégoulinante de bave, et je me sentais mieux quand mes mains s'associaient à mes pieds dans de longues galopades; puis je m'en sortais (allez savoir comment!) et, pour sauvegarder un reste d'humanité, je revenais à ces fièvres narratives qui allaient posséder mon esprit durant de longues années; je n'avais rien trouvé de mieux que de m'inventer ma propre histoire, de m'ensourcer dans une légende; je me l'écrivais sur les pages délavées de quelques épais registres sauvés de la frégate, avec le sentiment de la serrer en moi, à portée d'un vouloir; sans doute jaillissait-elle d'un ou de deux grands livres restés enfouis dans mon esprit; des livres déjà écrits par d'autres mais que je n'avais qu'à réécrire, à désécrire, dont je n'avais qu'à élargir l'espace entre les phrases, entre les mots et leurs réalités, pour les remplir de ce que je devenais sans vraiment le savoir, et que j'aspirais à devenir sans être pour autant capable de l'énoncer;

durant ces premières années de naissance à moi-même, j'avais donc toujours exprimé le civilisé que j'imaginais être, et sacralisé par le verbe ou l'écrit l'humain que je m'évertuais à devenir ; dans tous les coins de l'île, des mots, des phrases, des vers sortis du petit livre signalaient, indiquaient, désignaient, rappelaient, exorcisaient, étiquetaient, projetaient, répétaient, invoquaient... : *Parc des plaisirs... Compagnons des cochers immortels... Chemin de volonté... Dignité... C'est un fait : être est... Place du souvenir... Courage... Chapelle de la paix... De la voie pour la parole, ne reste que : il y a... Harmonie et courage... Basilique du retour... Qu'il est absolument ou qu'il n'est pas du tout... Prières... Arche des providences...* ; je les affectais à mon vœu de survie, non seulement pour garder un langage dans cette glauque solitude qui n'ouvrait qu'au grognement, mais surtout dans la volonté de conserver coûte que coûte l'écriture qui — plus que la parole — était ici parfaitement inutile ;

mais je pris vite conscience que la solitude affectait malgré tout ma parole, déformait mon langage intérieur, troublait mon écriture qui jamais ne s'offrait à personne ; disons alors qu'entre moi et cette île carcérale je fus réduit à élever une quantité phénoménale de signes et de symboles derrière lesquels je me déplaçais à ma guise, et que j'interprétais avec autant de liberté ; des croix et des triangles, des cercles pointés, des lettres, et des chiffres qui me tombaient du geste pour habiller mes lieux d'habitation ou décorer mes chemins habituels ; j'utilisais tout cela pour étayer mon équilibre mental et me composer dans le même temps un paysage intelligible ; cette opiniâtreté à garder « l'expression » représentait pour moi l'essence même de l'homme-vrai ; je l'avais pratiquée sans y penser, mais cette intuition fut précieuse : je savais maintenant qu'on se construit aussi avec de « l'expression », qu'on se tient debout avec ; j'étais bienheureux de ça ;

au départ de toutes les origines, il y a le verbe ; au fil de ces vingt ans, j'en avais fait la lente redécouverte ; très vite, j'avais eu la conscience très naïve de m'élaborer mon verbe créateur, en toute liberté, et sans doute au prix d'un lent ahurissement de ce que je pouvais ou voulais exprimer ; mais « l'expression » ne sert pas à être comprise (tout comme la littérature, je suppose) — elle sert d'abord à construire l'autorité intime de celui qui l'actionne ; c'est pourquoi, durant ces vingt années, j'avais manié une écriture d'air et de matières, j'avais marqué le sol avec, j'en avais fait du pollen dans le vent, tatoué la peau des pluies, l'écorce des canneliers et les clairs de pleine lune, peuplé mes cauchemars et mes fièvres insomniaques ; en mes heures les plus stables, je m'étais contenté de la transcrire sur mes livres délavés, dans des contractions de sens qui devenaient parfois des signes et constituaient alors les seules balises de mon esprit se gardant une assise ;

cette « expression » ardente s'inscrivit dans une pratique plus large qui fut celle des rituels ; il n'y a pas d'humanité sans rituels, et même si beaucoup d'animaux mènent aussi moult ritualisations, il n'y a pas d'esprit humain qui n'aille à ses misères sans des rituels qui lui servent de béquilles ; mais ceux que je mis en œuvre n'étaient nullement de même engeance que ces obscures cérémonies que pratiquent les sauvages ; ainsi chaque aube de ces deux décennies avait été pour moi le déclenchement d'un mécanisme lumineux ; d'abord, au réveil, je saluais l'apparition du jour en déclamant les bras ouverts une des phrases énigmatiques de mon cher petit livre :

... quand les filles du Soleil,
qui avaient délaissé les palais de la Nuit,
couraient vers la lumière en me faisant cortège,
écartant de la main les voiles qui masquaient leurs têtes...

puis je sonnais de la cloche ce qui réveillait mes cabris, mes rats d'Inde, excitait mes perroquets, et le reste de ma faune domestique ; et puis, tout à la fois maître et laquais, avec des gestes dignes des perruques et des gants, je me préparais mon manger d'ouverture, fromage, corossol, galette de blé et lait de chèvre, et cassaves de manioc ; et je m'installais sous mon grand fromager, sur cet accolage de planches qui fait office de table centrale ; c'était toujours un ravissement pour moi de sortir nappes brodées, porcelaines asiatiques, couverts poinçonnés, carafes d'Aubagne qui gardaient l'eau de pluie, et tout un protocole d'ustensiles en argent dont la seule utilité était dans le plaisir d'imaginer les mains de femmes qui les avaient touchés ; après cette collation, je procédais à la levée de mon petit drapeau tout couvert lui aussi de phrases dont j'étais bien incapable de décider du sens ; ensuite venait la lecture de la Constitution que j'avais rédigée il y avait bien longtemps — un texte qui solennisait tellement de règles fondamentales que les prononcer chaque jour instaurait un rempart entre moi et cette île ; juste après la Constitution venait l'énoncé d'une série de préceptes — du genre *« Garder toujours le menton au-dessus de la clavicule »*, *« Ne pas garder la bouche ouverte »*, *« Manger se fait assis à table et sur une chaise »*, *« Le dos s'étire et se suspend à l'aplomb du soleil »*, *« On ne pète pas car le pet satisfait ne sied qu'à l'animal »*, *« S'observer sans cesse et se parler sans cesse pour soutenir le maintien des vertèbres* »...; du genre aussi : « *Dieu existe* », « *Le diable peut être beau* », « *La joie est là!* », « *Méditer sur l'honneur chaque fois que l'on voit un fruit rouge* », « *Méditer sur la dignité chaque fois que l'on voit un fruit jaune* », « *La terre est ronde et toute île en dérive sur sa croûte arrive en quelque part* »...; je récitais aussi quelques articles de mon Code pénal, trois de mon Code civil, six de mon Code du commerce; je complétais quelques graphiques de mon plan cadastral, et me remémorais à voix haute les principes de ce service civique auquel je devais me soumettre à chaque nouvelle lune...; impossible de tout vous énoncer; leur profusion inépuisable était constitutive de leur finalité même; leur nombre comptait plus que ce qu'ils ordonnançaient de manière effective; à cela s'ajoutait tout un lot de procédures autour des animaux, des pâturages, des champs, des tâches de réfection, des moments d'écriture et de lecture du petit livre..., une charpente d'agissements immuables qui avaient illuminé ma triste existence d'homme-île dans cette île carcérale; mes rituels s'étaient démultipliés de jour en jour, jusqu'à occuper l'espace de mon mental, mais aussi l'île tout entière qui, disparaissant sous leur autorité, se présentait à ma conscience en forme à peine domestiquée...;

*

à la réflexion, je me disais parfois qu'au fil des millénaires le sceptre de la civilisation était passé de peuple élu en peuple élu, se renforçant ainsi, et que là il m'était tombé dessus — sur moi, tout seul! — sans que je sache trop par quel bout l'empoigner; je l'avais sorti de la frégate, et brandi comme je pouvais, avec le sentiment que cette fois il ne concernait que moi-même ; mais, au fil des années, je compris que ce sceptre avait connu des épisodes sans doute individuels, et que, même dans la plus misérable de ses aventures, c'était toujours la question de l'humain qui s'était vue précipitée dans l'aléa de cet immense jeu ; cette charge m'avait souvent redressé le dos ; et terrifié tout autant ; j'étais en quelque sorte élu ;

*

c'est ainsi que les jours et les années s'étaient avalés les uns les autres, les uns après les autres, et que les nuits n'avaient constitué qu'une continuité fixe envahie de cauchemars ; quand je ne pouvais plus tenir dans ma couche de feuilles sèches, rattrapé par l'île toute-puissante qui me fixait de sa menace, je m'asseyais à l'aplomb d'une table de bois-gommier ; j'y faisais mes écritures de nuit, éclairé par de petites bobèches d'une graisse de vampire que j'allais recueillir sur l'écorce d'un arbre gémissant ; en guise de lumière, les bobèches lâchaient une suie rougeoyante qui conférait à mon écrire — mon reste d'humanité — un tremblement constant — préoccupante et donc précieuse fragilité... ;

*

il y avait eu un temps où je ne m'étais plus apitoyé sur moi-même ; je m'étais donné corps et âme à ces rituels qui de jour en jour s'étaient mis à m'en inspirer d'autres ; j'avais proclamé les nouveaux dispositifs et les avais exécutés dans l'illico-presto ; mon vif plaisir était de les voir surabonder autour de moi, et tenir tête à cette île malveillante; plus question de savoir ce que j'étais moi-même, il n'y avait que l'île, sa masse hostile et ses dangers; au-dessus d'elle, la masse métallique du ciel m'apparaissait tellement insupportable que j'avais passé bien des saisons à y projeter des divinités du soleil ou du vent, à y deviner des harpies nuageuses capables d'attirer des bateaux; les orages n'avaient été que damnations grondantes de je ne sais quel monstre, et la lune la plus paisible n'avait jamais été autre chose que l'œil sans âme d'une geôlière; parfois, j'avais renoncé à cet esprit magique pour un peu de raison, m'efforçant alors à des observations savantes afin d'anticiper les pluies violentes ou les cyclones dévastateurs; j'avais de même consacré beaucoup d'études au désir de situer l'exacte frontière entre la saison des pluies et celle des sécheresses; mais cette ligne naviguait dans un tel flux de variations que je revenais toujours au sentiment d'avoir derrière tout cela quelque déesse indécise; dans ma lutte avec ce ciel, j'avais quand même appris à le contempler dans son hostilité froide, sans rien qui puisse en provenir, et sans rien qu'on ait quelque raison d'en attendre; et j'avais veillé à ce que cette absence d'une quelconque bienveillance n'affecte en rien mon humeur;

j'avais procédé de même avec la mer — ou plutôt avec ce mur de phosphorescences et d'humeurs hystériques — que j'avais tant de fois suppliée, tant peuplée de bateaux imaginaires venant à mon secours; j'avais voulu m'en faire une alliée en creusant dans un tronc de bois-gomme une large pirogue dont j'avais élargi les flancs à grandes flammes pour bien les maintenir avec des traversins; je l'avais stabilisée du mieux possible avec quelques balanciers de bambou selon une technique de sauvages que j'avais dû rencontrer dans mon passé perdu; j'avais aussi sculpté des rames dans du bois-fer, et préparé de longues perches pour me guider entre les cayes; j'avais même passé du temps à coudre quelques pans de voilures et organisé leur alliance à un mât de fortune avec un très ingénieux système de cordages; tout cela m'avait gardé au vif d'un fol espoir durant presque une année, et l'océan semblait alors m'espérer gentiment; l'ennui avait été que l'arbre-gomme abattu se trouvait à sept lieues de la plage; même si je parvins en grande obstination à le faire glisser sur plus de deux lieues en moins d'une saison, j'étais tombé sur une gigantesque bombe volcanique surplombant une ravine; pareil obstacle exigeait un tel effort de contournement que cela fut rangé au dossier de mes tâches en souf-france, de celles qui, largement entamées, resteraient à tout jamais hélas inachevées; pourtant, je ne renonçai vraiment à ce projet qu'en découvrant ma pirogue en train de bourgeonner en pousses voraces vers la lumière, et que je réalisai combien son flanc resté collé au sol s'était enraciné; du coup, l'océan abandonna toute sym-pathie;

donc, au fil des années, et de mes renoncements, la mer aussi s'était envenimée jusqu'à devenir un abîme sans bonté — une jungle à régenter de mes lois maritimes contre les requins, les méduses et les algues urticantes; à chaque nouvelle lune, je me dressais sur un de ces pro-montoires au-dessous desquels l'océan se fracasse en donnant le sentiment qu'il veut avaler l'île, et je le tenais en respect à coups de proclamations, décrets, lettres patentes et dispositions avancées de police, le tout accompagné de quelques édits sans concession; l'article

40

sept par exemple de mon Code maritime interdisait aux vagues de se présenter noires ou sombres, l'indigo clair ou le vert de jade seuls se voyaient tolérés; je mis de l'ordre dans les tempêtes, en les obligeant à des déclarations préalables, et je fixai très sévèrement la distance sur laquelle il leur était possible de pénétrer les terres; je traitais de la pêche des poissons-coffres, de l'interdiction de séjour des poissons venimeux, de la répartition des crabes, de l'envahissement des tortues, de la possession des bateaux naufragés, ou des trésors que les vagues étaient autorisées à déposer sans aucune taxation...; j'instaurai des dispositions très strictes sur les questions d'un débarquement de quoi que ce soit, obligeant toute engeance immigrante à des formalités de présentation et à des mises en quarantaine d'office durant plus de trente jours...; après avoir tout espéré d'elle, je reconnais avoir soumis cette mer aux rigueurs d'une dictature féroce, et l'avoir ainsi cantonnée sans appel dans les limites et le poison de sa grande haine à mon égard...;

hélas, quand il m'avait été possible d'assumer l'hostilité du ciel, quand j'avais été apte à contempler cette mer sans supplique, que j'étais devenu capable de ne plus attendre l'apparition d'une voile, quand au-delà de la voile je n'avais plus rien espéré de quelque sorte que ce soit qui pourrait en surgir, eh bien, pile à cet instant-là, sans que j'en prenne conscience, l'idée de l'humanité et de son existence avait sombré sans une relique en moi;

voici comment j'allais le découvrir...

*

41

j'avançais donc sur cette plage maudite, en ruminant ma gloire, quand soudain quelque chose d'inhabituel capta mon attention ; la plage était une livrée grouillante — pour ne pas dire vivante car j'hésitais toujours à conférer de la vie tolérable à cette île —, à chaque pas, on y rencontrait des miettes de naufrages, des résidus de villes noyées, des escarbilles d'églises ou des perles minuscules dans des branchies de poissons morts ; dans les premiers temps de ma raide réclusion, des cadavres millénaires n'avaient pas arrêté de surgir des flancs de la frégate ; même après toutes ces années, je m'attendais encore à buter sur l'un d'eux, dans l'indéfinition habituelle, c'est-à-dire une masse d'os en désordre dans une gélatine immortelle que le soleil forçait à crépiter en des milliers de bulles ; ces découvertes m'avaient largement affecté au début, puis elles m'avaient touché de moins en moins ; je me souviens aussi qu'au départ je m'étais appliqué à leur donner une sépulture en creusant dans le sable, jusqu'à découvrir que la mer les affouillait toujours et repartait avec son sinistre butin ; je découvris aussi que d'innombrables existences charognardes raffolaient de ces fermentations, et transformaient ces tombes improvisées en d'indécentes concentrations de voracités ; je finis par contourner les dépouilles que la mer continuait de ramener, les abandonnant à la miséricorde du sable ; elles disparaissaient très vite, desséchées par l'ouvrage du soleil, charroyées par la crabaille nomade, dissoutes comme des seiches, ne laissant que des vapeurs d'âmes que je croyais surprendre au-dessus des poulpes menant goguette parmi les amandiers... ;

malgré l'assaut de ces vieux souvenirs, mon regard demeurait vigilant, scrutait chaque détail de cette plage hostile; à mon approche, des choses échappaient à l'indistinction phosphorescente pour capter mes pupilles, trembler, et se livrer soudain à la sérénité de mon regard; et c'est ainsi que je la vis;

une forme, insolite, faisant partie du sable mais solidifiée comme si on avait voulu la préserver; avant même que je ne comprenne de quoi il s'agissait, mon cœur sombra dans un branle-bas de déroute; mes jambes disparurent; je tombai à genoux; c'est presque en rampant que je me dirigeai vers cette forme troublante; je me mis à l'observer comme on regarderait un monde en son entier; ce n'était pas un glissé de tortue, ni la marque d'une sieste de petit lamantin; je voulus me persuader qu'un gros oiseau s'était posé-là, avait dérapé à cause de je ne sais quoi, et qu'il avait provoqué cette forme singulière; je pensai aussi à la légende de ces diablesses qui pour tromper les gens modifient l'impact de leur sabot afin qu'il reste indéchiffrable; en quelques mi-secondes, je passai en revue des millions de possibles; ils défilaient dans mon esprit avec la force visqueuse d'une marée de méduses; puis, tandis que mon pauvre cœur hoquetait de déroute, que des sueurs verglacées me labouraient la peau, je finis par y voir... un talon... la courbure d'une voûte plantaire... la répartition caractéristique d'un ensemble d'orteils... et chaque orteil ruait dedans mon entendement comme autant d'alarmes, de haines, de colères, de menaces, le tout pourtant mêlé à la bouffée inexplicable d'un enthousiasme terrifiant : c'était une empreinte d'homme;

*

ma première impulsion fut de me réfugier dans l'arbre le plus proche ; mais alors que j'empoignais déjà le tronc, je me souvins de la nuit initiale, et ne voulant pas retrouver les mêmes affres, je me précipitai dans le couvert des bois où je me mis à courir comme un possédé, sans trop savoir si c'était vers le sud, vers le nord ou vers l'est ; j'avais perdu mon chapeau, mon parasol, mes pistolets et mon mousquet ; quant au grand sabre qui me battait la cuisse, il finit par s'emmêler à mes tibias, si bien que, sans cesser de courir, je le balançai au diable et poursuivis ma débandade ; je me serrai dans une ravine ombreuse nommée *Thermes de jeunesse éternelle* ; se trouvait-là une source que j'avais bien aménagée, avec palissade, balançoire de lianes vertes, dalles de pierre rose et canaux de bambou ; enfoncé tel un crabe dans la partie la plus lointaine, je restai immobile, haletant à la manière d'un ours au rythme du glouglou de l'eau fraîche ; quand je pus mettre un peu d'idée dans mon esprit, je recommençai à méditer sur ce que j'avais vu ; l'empreinte s'en allait vers le dedans de la plage : quelqu'un avait dû débarquer dans la nuit, et s'était élancé vers l'intérieur ; peut-être une escouade ; combien d'empreintes ?... je n'en avais vu qu'une seule ; la mer avait dû effacer les autres ; la pirogue qui les avait amenés devait être dissimulée sous le couvert des amandiers ; je m'en voulais de ne pas avoir été assez attentif pour la localiser d'emblée ; j'aurais pu disposer d'une idée plus précise de ce à quoi j'avais affaire ; combien étaient-ils ? — dix ? cent ? mille ? une horde ? — je n'arrêtais pas de cogiter dans tous les sens ; mon corps tremblait comme de fièvre tierce, et mes paupières clignotaient sans que j'y puisse grand-chose ; mes bras se croisaient en travers de mon torse, et mes mains demeuraient convulsives dans le refuge de mes aisselles...;

*

impossible de dire combien d'heures s'écoulèrent ainsi; je crois que la nuit tomba, et passa, et que le jour me retrouva dans la même position et dans le même état; il me fallut très longtemps pour émerger de la ravine tant ma circonspection était grande; immobile dans une touffe d'énormes champignons, je consacrai près d'une heure à inspecter les alentours afin de déceler un quelconque guet-apens; et c'est en galopant comme un rat échaudé que je rejoignis la grotte qui me servait de demeure, au pied de l'immense fromager, à l'arrière de ma tente et de mes ajoupas; une fois à l'abri derrière la palissade, je rapportai les six échelles, bloquai avec les pierres ad hoc le petit pont-levis, les trois poternes, et les deux herses de bois clouté; fermai les meurtrières qui se dissimulaient dans la haie d'épineux que j'avais plantée dense à même la palissade; et là encore, incapable de la moindre réflexion, je me terrai au loin de ma caverne, dans une cavité suintante qui ne m'était jusqu'alors d'aucune utilité; c'est là que je me sentis bien, dans une posture fœtale, inapte à réprimer les frissons de terreur qui m'avaient transformé en marmaille implorante;

c'était comme si vingt ans de faussetés orgueilleuses s'étaient brusquement déchirés et m'avaient ramené à mes pauvres espérances, à mes peurs initiales, et à mes vieilles angoisses — *quelqu'un d'autre que moi-même était maintenant sur l'île!...* — ça ne pouvait pas être des gens civilisés ; il ne s'agissait pas d'une trace de botte ou de sabot ; de plus, aucun navire ne se trouvait à l'horizon ; en rejoignant la plage, j'avais longé la côte sans voir la moindre chaloupe ni une quelconque embarcation ; celui ou ceux qui avaient débarqué-là ne pouvaient être que des cannibales natifs de cette contrée ; j'étais incapable de situer où se trouvait cette île, mais dans un fond de mon esprit se tenait l'évidence que des endroits aussi désespérants ne pouvaient être qu'infestés d'ogres, de goules, de démons et d'une longue clique de cannibales ; j'avais beau réprimer les voltes de mon esprit, je les voyais déjà en train de soumettre mon corps aux pires cérémonies ; je voyais presque le déroulé de mes boyaux malaxés au piment ; les tranches de mes cuisses mêlées aux écorces fermentées ; des danses lascives durant lesquelles l'une de ces bêtes s'évertuait à me gober les yeux... ; je croyais entendre des volées de tambour identiques à celles que j'avais cru surprendre durant les premières nuits de mon échouage ; bien entendu, les jours se levèrent plus d'une charge de fois sans que je me consacre à l'un quelconque de mes rituels ; ils défilèrent l'un dans l'autre sans même que je sois capable de les compter ; je n'avais ni faim ni soif, aucune envie de rien ; prostré, pétrifié, ou agité comme un vieux chat empoisonné ; en d'autres instants, je perdais la conscience de moi-même, mais c'était encore pire : mes imaginations autour des cannibales se faisaient bien plus abominables quand elles se déployaient sans la mesure d'un peu de conscience ;

*

je vis des vagues mollasses qui s'en venaient soupirer sur le sable, et d'autres aiguës comme du sel liquide, et dont les soutes encombrées de galets se dévidaient dans un bruit de friture ; je vis des goémons rougeâtres surgir, se raidir, s'évanouir comme des spectres dans les brillances du rivage ; je vis le sable atteindre à des blancheurs insoutenables, ou s'éteindre en une livrée grisâtre que seule animait l'industrie pas visible des coquillages fouisseurs... ; je vis et revis beaucoup de choses, mais rien qui ne fût déjà inscrit dans cette éternité sans âme que j'avais confrontée durant plus de vingt ans ;

je dus me convaincre de n'avoir pas rêvé ; que l'empreinte était bien là ; serré sous quelques feuilles de vétiver, je quittai les raisiniers et m'avançai à découvert, de millimètre en millimètre, en observant de longs moments d'une totale fixité ; ainsi, je me sentais capable de déjouer la vigilance de quelque sentinelle postée dans les abords ; à l'emplacement voulu, l'empreinte était bien là ;

elle n'avait plus sa densité massive ; elle semblait molle, charnelle, frémissante, sans doute à cause d'un jet d'écume qui venait de l'atteindre ; je la regardais avec des yeux hallucinés ; elle se dirigeait vers l'intérieur de l'île ; son orientation me paraissait s'inscrire dans la dynamique d'un débarquement précipité ; il n'y avait qu'elle sur mille pouces à la ronde ; aucune trace d'une étrave ; aucun impact d'une perche ou d'une rame ; j'imaginai l'embarcation en train de tournoyer dans les écumes avant de se ficher de travers sur le sable ; j'imaginai le saut de l'occupant qui bondissait sur la terre ferme afin de l'assurer, puis de la tirer sous le fouillis des arbres; j'éprouvai (juste un instant) l'envie de calculer la trajectoire que désignait l'empreinte pour dénicher cette cachette, mais il m'était impossible de me détacher de cette forme humaine; elle me remplissait de sentiments contradictoires; j'avais passé une bonne part de mon éternité à me prémunir contre toute intrusion; d'abord contre celle des sauvages, et puis par extension, et sans m'en rendre compte, contre toute existence qui ne serait pas un pur élément de cette île; je compris qu'à la longue, à force de la craindre, puis à force d'être seul, toute forme humaine avait disparu des zones actives de mon esprit; et pas seulement celle d'un pied, mais celle d'une main, d'un doigt, d'une épaule, d'un nez, d'un sourire... d'un faciès...; une bouffée de panique m'envahit, et je me retrouvai une fois encore en train de détaler sous le couvert des oliviers;

*

de retour dans ma caverne fortifiée, je lançai mon branle-bas contre les invasions; je l'avais élaboré depuis déjà tellement longtemps qu'il avait fini par sombrer dans l'oubli; c'est vrai que le ministère de la guerre était tombé en désuétude; il y avait des lustres que je ne revêtais plus mes insignes d'amiral, de chef-artilleur, de commandant des fantassins, ou de secrétaire d'État aux affaires logistiques; aiguisées par la terreur, les dispositions guerrières me revinrent très vite; je dégageai les meurtrières de la palissade que des lianes avaient obstruées; je disposai les tabourets de tir; j'y ajustai une série de mousquetons sur des trépieds de bois-côtelettes, que je bourrai de poudre et de grenaille; je fis de même dans d'autres emplacements fortifiés disséminés dans les environs ; mes fortins de rescousse (renforcés de gros coquillages et de bambous pointus) étaient nombreux ; je les avais répartis dans des zones différentes en utilisant au mieux les obstacles naturels ; les mangroves m'avaient offert leurs nouées de palétuviers blancs et les boues suceuses de leurs marais ; à l'aplomb de savanes — où j'avais planté du tabac, du café, des tomates, des fleurs énigmatiques, et qui me servaient à l'occasion de lieux de villégiature — j'avais utilisé de petits mornes abrupts qui m'offraient l'avantage de la hauteur et d'une vue plongeante sur l'ennemi potentiel ; dans des arbres gigantesques, j'avais dissimulé des plates-formes d'artilleurs, encastrées sur des fourches baignées d'ombre, et j'y avais entreposé des provisions sèches, de la poudre et de rassurantes panoplies d'armes blanches ; en face d'une invasion, j'aurais pu ainsi me déplacer dans tous les sens, en toute sécurité, disposer partout d'une base de repli, et harceler l'ennemi à ma guise sans qu'il soit en mesure de prévoir mes attaques ; aujourd'hui, le contexte était différent ; le débarquement avait eu lieu ; l'ennemi était déjà en train de patrouiller dans l'île ; je délaissai les procédures du branle-bas d'invasion ; je me consacrai aux fortifications secondes, destinées à soutenir un siège ou une invasion prolongée ; je passai presque trois lunes à monter-descendre, aller-virer de l'une à l'autre, renforçant-ci, colmatant-ça, y délogeant termites, fourmis, serpents, mille-pattes et araignées ; dans ma caverne, je récupérai les trois tonneaux de poudre que j'avais serrés dans le coin plus sec ; je les ouvris pour en répartir une bonne part dans différentes calebasses que je transportai dans chacune des fortifications ; pour finir, j'en jetai cent gobelets au fond d'un vieux tonneau, muni d'une longue mèche d'étoupe : j'étais résolu à tout faire sauter si ces sauvages osaient le sacrilège d'investir mon sanctuaire ;

dans ces incessants travaux de fortification, je m'oubliai moi-même, et j'en oubliai l'île ; je me sentais léger, débarrassé de mes raideurs rituelles ; je n'entendais plus les clic-cloc obsédants de ces dix mille clepsydres dont j'avais balisé mes lieux d'activité ; j'allais libre de toute ordonnance, juste soumis à ce que me dictait mon esprit à la guerre ; une telle frénésie m'éjectait d'une sorte d'ankylose physique et mentale ; elle me plongeait dans un tel renouveau des gestes de mon corps que cela me fatiguait très vite ; le soir, je m'enfonçais dans mon alcôve humide, au fin fond de la grotte, entouré de pistolets et de couteaux aigus comme des crocs de boucher ; je mijotais alors dans une lassitude monstrueuse qui ne me fournissait aucune once de repos ; je n'étais qu'une fièvre traversée par la crainte de tout perdre, l'envie de guerre et le désir de meurtre ; je percevais l'ironie de vivre une situation tellement imaginée, si longtemps et en vain, et qui me tombait dessus au plus élevé de l'improbable ; dans cette autre manière de regarder, d'écouter et d'entendre, l'île autour de moi était devenue plate, tiède, neutre pour ainsi dire ; ce qu'il y demeurait d'hostile se concentrait dans cette intrusion qui peuplait à l'extrême ses éclats, ses ombres, ses lointains, ses profondeurs secrètes ; elle se faisait bien plus rétive quand je tentais de deviner où se tenaient l'intrus et ses comparses, et en quel bord il allait déclencher son attaque ;

longtemps, je jugeai plus prudent de ne pas m'aventurer au-delà de la forteresse principale ; je m'assurai une voie de dégagement, entre l'arrière de la palissade et le début de la grotte ; j'y mis quelques ballots de provisions, de la poudre, encore deux pistolets ; l'idée était de pouvoir m'enfuir bien équipé en cas d'un submergement de forces hostiles ; puis, je m'installai dans l'échauguette qui surplombait l'ensemble et qui me permettait un regard circulaire sur un horizon de cent mètres à l'entour ; en face de moi, au bout d'un espace dégagé s'ouvrait la muraille impassible des arbres ; j'avais régulièrement sarclé cette place d'armes autour de ma demeure, ce qui m'offrait un périmètre de surveillance de deux trentaines de mètres, rien ne pouvait s'y aventurer sans être de fait à découvert ; j'installai mon mousquet préféré, prêt à tirer, le canon bien posé, sa crosse calée contre mon épaule, ma lunette d'approche à portée d'un besoin, quelques poches d'eau de source et une petite barrique de cassave, et j'attendis en scrutant les entours ;

tout demeura calme, immobile et absent ; les arbres frissonnaient comme à l'accoutumée sous la folie des quiscales noirs, les ruées de rats, les passages de pluviers ou de canards sauvages ; des tressaillements de ramures sèches me signalaient la course d'un serpent ; les vols d'abeilles et de papillons surgissaient de-ci de-là dans des pieux de lumières jusqu'alors invisibles ; les lianes dégoulinantes, emmêlées sur elles-mêmes, offraient de tortueuses vertébrales à des fuites de lézards ; je comptais et recomptais les gros arbres bougonnants, tenais le compte des points de lumière qui filtraient de la masse des feuillages... ; entre les troncs moussus, je devinais mes fosses à tubercules, à ignames ou choux-de-chine, sans doute matures pour une récolte ; en certains coins, je voyais le soleil, filtré par les feuillages, rejoindre le sol dans des fondues d'or vif; de temps en temps, la vapeur d'une âme en déshérence, piégée par une de ces coulées, se révélait à moi dans une divination lumineuse qui m'agitait les imaginations; le plus étrange, c'est que je ne percevais rien d'hostile ou d'angoissant dans cet environnement; cette perception d'une puissance antagoniste avait pourtant persécuté mon quotidien des vingt dernières années; maintenant, rien; rien qu'une neutralité nouvelle qui constituait un vaste écrin à l'impact de cet intrus et de sa clique...;

des jours et des semaines, sans doute quelques saisons, passèrent ainsi; je ne quittais mon poste que pour m'acquitter du soin de mes bêtes d'élevage, leur apporter des graines, des fruits secs, de l'eau, du fourrage, prélevés dans mes réserves; quand ces vivres furent épuisés, je leur ouvris les parcs, casiers, enclos et pâturages, en sorte qu'elles se débrouillent sans causer de vacarme; je ne gardai que la surveillance de mes champs de patates, de blé, d'orge et compagnie, dans une guerre sans fin contre les rats, les fourmis, les termites, les oiseaux...; pour le reste, j'étais posté dans l'échauguette; immobile, concentré, le doigt posé sur la détente; j'attendais sans impatience en observant autour de moi; mon drapeau délaissé n'était plus qu'une guenille que l'alizé n'animait plus; mes pancartes, mes écriteaux, mes signes et mes annonces se brouillaient sous les mousses; les haies n'étaient plus régulières, et bien des canalisations laissaient filtrer une bonne part de leurs eaux; empli d'une sorte de détachement, sans doute n'étais-je plus en moi-même; aucun trouble, pièce émoi, n'émulsionnait mon corps ou mon esprit; j'étais plongé dans une guerre contre l'intrus; une guerre immobile, mais violente, mais constante, mais totale; cette agressivité m'était d'une grande bienfaisance; toute agressivité est bienfaisante; elle draine du plus profond une sombre résolution qui sustente la survie; sa puissance rend secondaire le reste; c'est elle qui m'avait permis de persévérer en face de cette île, et d'endurer mes longues désespérances; là, elle était à son comble, tel un soleil devenu noir, et qui rayonne ainsi; j'attendais; j'attendais cet autre pour le combattre; j'attendais pour le tuer, et pour rester vivant; mais rien ne bougea ni ne changea aux alentours;

*

saisi d'un nouveau doute, je quittai mon perchoir et m'aventurai encore vers la maudite plage; là, je rejoignis l'empreinte avec bien moins de précautions, et je l'examinai pour me convaincre de son existence; elle était là; cette fois, elle était sèche; une méduse avait échoué dessus; cuite et recuite par le soleil, la masse gélatineuse avait fondu et remplissait l'empreinte d'une huile étincelante que j'avais du mal à fixer; mon angoisse resurgissait intacte dès l'abord de cette forme; elle me versait dans des peurs animales; une fois encore, je m'en éloignai dans une brusque alerte, comme s'il s'agissait du diable, sans même me relever, juste en traînant les fesses au sol et en pagayant dans le sable à grands moulinets de bras; quand j'atteignis l'ombre des raisiniers, je me mis à courir en beuglant dans une inexplicable désespérance; dans la foulée, je repris ma veille dans l'échauguette; index à la détente, crosse à l'épaule, je me calmai, et m'installai dans l'économie de combat la plus stricte ; supprimant mes bruits ; limitant mes tournées ; répartissant mes repos en périodes brèves ; évitant de faire du feu ou de diffuser le moindre relent de chair grillée ; j'avais cultivé la fonction de me parler à moi-même, je dus continuer à le faire à mi-voix, mais je ressassais tellement les mêmes angoisses — imaginant les cannibales et leurs longues boustifailles — que je n'articulais qu'un gargouillis de bouche pour le moins insensé mais qui actionnait et ma langue et ma gorge, et les résonances utiles dans mes sinus et ma poitrine ; cette vibration régulière dans mes os me constituait une base d'appui ;

des mois et des mois passèrent ainsi, peut-être moins, peut-être plus ; je ne tenais plus mes comptabilités de lunes et de saisons, mais j'avais fini par intégrer un certain sens du temps en ses évolutions, et il m'était loisible de l'évaluer de manière instinctive ; ma perception hurlait que beaucoup de temps avait passé ; j'avais atteint une sorte d'insensibilité du corps ; mes mains ne tremblaient plus ; mes sommeils étaient brefs et paisibles ; autour de moi les lianes rampantes avaient tout envahi, avalant mes pancartes, profanant mes traces et mes sentiers, escaladant mes haies et palissades ; mon bétail était presque redevenu sauvage même si certains éléments continuaient de me suivre à la trace, ou de se tasser dans les vieux pâturages ; mes fondations dégageaient un vieil air d'abandon, mais cette ruine insidieuse ne me dérangeait pas ; il était précieux que l'intrus ne disposât d'aucune démonstration qu'il existait en cet endroit une quelconque autorité ;

*

je finis par tourner à vide; ma vigilance s'émoussait pour resurgir de manière illogique et me jeter dans un fixe affolement pendant deux ou trois jours; puis elle disparaissait pour resurgir encore; mais le plus souvent, j'avais la possibilité de détacher mon regard des environs, et de m'envisager moi-même; ma raison prit un peu le dessus et me fit découvrir que je n'étais que dans la défensive; j'attendais l'intrus, qui devait être là en quelque part à me guetter aussi, ou peut-être plus loin, établi en une savane tranquille, se menant la belle vie; je ne parvenais plus à l'imaginer en découvreur inquiet écartant les broussailles aiguisées; ce qui me parvenait de lui était *une autorité possessive*; il s'était installé; il prenait possession de mon île en quelque zone lointaine; il se régalait de mes fruits, et se piquait mes fleurs dans les cheveux; il emmagasinait l'eau de ma plus belle source dans d'horribles récipients; il débitait des cochons sauvages qu'il mettait à boucaner avant de les fourrer dans des jarres d'argile susceptibles de rouler vers la plage; la possibilité qu'ils soient plusieurs s'était éteinte d'elle-même, une horde n'aurait pas pu se montrer si discrète, ni même un petit groupe de primitifs; il était seul, c'était paradoxalement sa force; il pouvait de ce fait être partout, aller vite, aller loin, surgir de n'importe où, être invisible longtemps; cette obsession modifia le rapport que j'entretenais avec cette île; alors que j'avais passé ces vingt dernières années à la mettre à distance, à la tenir pour ainsi dire en respect, je commençai à mieux accepter d'être en elle, d'être à elle, et qu'elle soit en moi-même; l'idée seule de la perdre — pauvreté de la nature humaine! — me la rendait désirable et précieuse; je pris alors la décision de ne plus abdiquer la maîtrise de mon royaume ; l'intrus était chez moi, et c'est moi qui devais le traquer ; le trouver et le tuer ;

*

je me relançai dans l'exploration de mon île, avec peut-être la fièvre qui m'habitait au temps de mes premières investigations ; j'avais à l'époque le souci d'aller vite, de me faire une idée globale de la situation, d'en évaluer au plus vite les données afin de prendre mes décisions ; cette traque était alimentée du même état d'esprit, aller vite, trouver vite, frapper vite l'intrus pour demeurer vivant ; la crainte était aussi forte, mais ce n'était plus celle qu'inspirait un pays inconnu : c'était celle d'un ignoré indéfini et inlocalisable ; comme il n'était nulle part, il était donc partout ; tout ce qui faisait cette île s'inscrivait avec force dans le sillage de son existence, et dans le suspens affolant d'un surgissement subit ; il fut inutile de m'alourdir d'eau, de vivres et de bagages ; l'île était balisée par mes emprises ; la vision que j'avais d'elle consistait en une logistique d'utilités qui me permettaient de trouver n'importe où le gîte, la défense, le boire et le manger ; je me mis en route au moment du chant des oiseaux d'avant-jour, ceux qui tiennent prophétie des qualités de la lumière, et qui, dans mon esprit tendu, constituaient de ce fait une part de bon augure ;

je menai l'exploration de manière méthodique ; à partir de ce que je pensais être le point le plus central, j'effectuais des cercles qui s'élargissaient à mesure ; ces spirales me permettaient de tout ratisser du regard, de l'odorat et de l'oreille ; j'avais le dos tendu, le doigt sur la détente ; chaque coin d'ombre le cachait ; chaque mou-

60

vement de feuillage le dénonçait ; le moindre affolement d'une bestiole était le signe qu'il était-là, qu'il m'avait vu et qu'il allait frapper ; de cercles en cercles, cette alarme s'apaisa ; dès lors, je pus travailler de la Raison et m'expliquer à moi-même qu'il ne s'attendait pas à ce que je sois sur cette île, et surtout pas que je sois en train de le chercher ; je disposais donc d'un avantage décisif qui me permit de me détendre et de mieux le traquer ;

chacune de mes spirales me livrait des dissemblances de paysages qui relevaient à la fois du Nord et du Sud, de l'Est et de l'Ouest ; je fus surpris par cette incroyable variété de microclimats dans un espace aussi réduit ; je traversai des savanes broussailleuses, pétillantes de bourgeons et d'abeilles, et de chaleurs vitreuses qui inventaient des spectres troubles de part et d'autre de mon passage ; je dus frayer à travers des mangroves, peuplées de veuves végétales, maigrelettes et tortueuses, en train de se laver les pieds dans une eau obscurcie ; des concrétions d'huîtres déformaient les racines de ces palétuviers en leur donnant l'allure d'orteils à rhumatismes affligés de grands ongles ; des grappes de crabes poilus en pleine fornication s'accrochaient aux branches basses et figuraient de gros seins bubonneux ; d'énormes poissons sommeillaient dans des creux de racines, au fond d'une eau boueuse, grouillante d'un tas de choses... ; j'explorai des clairières diaphanes, pleines d'arbrisseaux chargés de fruits, et dont l'atmosphère si tranquille imposait une envie de s'asseoir... ; je traversai des déserts de rocaille dont l'intention têtue semblait vouloir tout pétrifier dans une sorte de silice, à tel point qu'au seul contact de ces graviers mes pieds commençaient à durcir ; j'y croisai des arantèles barbues, plus grosses que mon poing, et mille espèces de dragonneaux qui hurlaient comme des vaches...; j'arpentai des champs de pousses graciles en train de végéter sous l'emprise de grands arbres grisaillés de chagrin; ils s'élevaient très larges, comme des fûts géants, et menaient à leur faîte un commerce d'éclats vifs et de senteurs, des lianes de lumière en filtraient par centaines, mais elles se dissipaient avant d'atteindre la pénombre du sol...; je vis des assemblées de fougères arborescentes qui s'épanouissaient dans une laitance d'eaux fines...; je vis toutes sortes de paysages, toutes sortes d'ombres fétides, toutes espèces de lieux frappés de grosses chaleurs, de sel aigu ou de clarté insupportable; je crus même surprendre dans le passage d'une rivière un convoi d'elfes et de gnomes, mais ces apparitions étaient si vaporeuses qu'il me fallait l'improbable conjonction d'un regard attentif et d'un rayon de lumière pour seulement les soupçonner; qui fait que je ne sus jamais si j'avais halluciné ou si cette île versait dans les contes et merveilles; c'était sans doute le plus étrange: une réalité autre s'offrait dans un réenchantement qui déclenchait en moi d'oubliées innocences;

je dormais dans toutes sortes d'endroits, sauf bien sûr dans les arbres; je me réveillais dans des ambiances de palais végétal, de basiliques minérales sanctifiées de rosée; chaque matin était souvent une féerie frissonnante à force de papillons, de fleurs et de lumières qui jouaient avec le vent; je me reposais sous des rideaux de plantes épiphytes qui habillaient les arbres; en certains lieux mes songes étaient charmés par des gloussements de sources; parfois, je rencontrais des silences tellement puissants qu'ils effaçaient le paysage, ne me laissant qu'une sidération attentive de l'oreille ;

une fois, je crus déceler un mouvement ; je me jetai au sol, et me mis à ramper dans une pente recouverte d'un tapis d'herbes fleuries ; je parvins à l'aplomb d'une déclive qui me dévoila une partie de l'île, et un bout d'horizon où surgissait la mer ; c'était une ravine géante ; provenant des pitons, elle descendait à pic vers le rivage ; à chaque niveau d'altitude, différentes qualités d'arbres l'avaient peuplée, je n'en voyais que les extrémités : un dôme de feuillasses qui explosaient en des millions d'insectes et tout autant d'oiseaux multicolores ; une vapeur s'en échappait pour s'immobiliser à quelques centimètres et entreprendre de tricoter une diaprure de brumes ; j'en eus le souffle coupé ; ce paysage provenait du plus loin de l'existence des choses ;

une autre fois, surprenant le bruit d'une fuite angoissée, je rampai aux abords d'une étroite cavité ; elle se trouvait à la base d'un arbre immense qui semblait relever de sept siècles de tristesse ; couvert de mouches et de punaises, il exhalait une odeur d'antimoine ; je surveillai la petite entrée sombre, m'attendant à voir surgir l'intrus, puis je m'en rapprochai pour y jeter un œil ; l'ouverture était peu praticable ; avec mille précautions, j'y fourrai ma tête, puis mes épaules, puis une part de mon corps ; une large dépression se révéla sous l'assise de l'arbre ; quelque chose avait creusé sous le treillis de bulbes, laissant un vide de plusieurs mètres ; les racines avaient poursuivi leur plongée vers le sol, organisant à l'air un entrelacs de radicelles blanchâtres qui constituaient une curiosité organique stupéfiante ; cela ne ressemblait à rien, ni à une voûte, ni à une crypte ; c'était une réalité particulière, hors du temps, hors du monde ; elle semblait vivre de sa mélancolie souterraine et d'une laitance qui se souvenait de la luminosité éclatante du dehors ; je restai ensorcelé par ce que je vis là ;

*

ces découvertes infimes s'ajoutaient les unes aux autres ; j'en conservais un trouble diffus, quelques bouffées d'émerveillement ; pour le reste, je ne m'abandonnais pas à ces épanchements, non parce que j'étais en train de traquer cet intrus et que mon esprit restait focalisé sur ce seul objectif ; la raison était autre : *une immense tristesse avait levé en moi* ; elle s'était installée comme un léger chagrin et maintenant m'habitait tout entier ; je la ressentis très tôt sans pouvoir l'identifier, puis elle s'étendit à ma conscience ; à force d'y réfléchir, je fus en mesure de l'exprimer ainsi : il y avait un intrus dans mon île, et cette intrusion — cet autre qui depuis tant d'années m'était devenu une donnée impensable — me précipitait à la marge de ce monde telle une chose obsolète ; moi qui, au bout de ces vingt ans, me situais au centre de tout, au principe même de l'achèvement de cet endroit, j'avais le sentiment d'être devenu vieillot, poussiéreux, usé, coincé, coupé de tout, immobile en moi-même ;

ce sentiment était accentué par cette manière que j'avais de redécouvrir l'île, de m'arrêter à ses détails, goûter ses atmosphères ; elle n'avait plus rien à voir avec le bloc hostile qu'elle était jusqu'alors ; je la percevais maintenant comme un désordre d'effervescences ; l'intrus était partout, invisible, néanmoins très intense ; c'est lui qui mettait en relief ces paysages, ces papillons, ces parfums, ces lumières enchanteresses; il affectait et infectait l'ensemble et la moindre des parties; ce que je supposais de lui était tout le contraire du peu que je percevais de moi-même; je l'imaginais vif, rapide, libre, menant une vie de bohème sur sa pirogue étroite et naviguant long-temps avec la joie des primitifs; en tout état de cause, il savait comment entrer et quitter cet enfer qui m'avait retenu durant maintenant vingt ans; l'île lui était connue; il savait où aller, et comment y aller; nulle part je n'avais perçu de dérangements intempestifs, d'arbres coupés, de fruits gaspillés, de ces saccages que font les étrangers venus aux provisions dans une île déserte; lui, s'y consacrait à une mission exacte, et cela avec une telle adresse qu'il ne troublait l'endroit en aucune manière; le souffle de cette nouveauté balayait ma conscience comme un cyclone brûlant; le soir, je pleurais sur cette relique que j'étais devenu; mon imagination se figurait l'intrus en un être étincelant de ces désirs qui depuis si longtemps s'étaient flétris en moi;

*

j'avais vécu dans un monde immobile, rempli par les objets d'une frégate millénaire, tissé de passé mort, de ressassements sans fin, dans un recommencement de ce qui avait été; lui, l'invisible, venu de rien et ne ressemblant à rien, s'érigeait en une pure nouveauté;

*

ce passé qui m'avait immobilisé se fissurait en moi; tandis que j'allais de spirale en spirale dans toutes les parts de l'île, j'étais entré dans un douloureux rapport à moi-même; après deux tours complets de mon étrange prison, je me retrouvai assis, ébahi d'épuisement, dans la dernière pointe du dernier promontoire; des foules d'oiseaux marins y menaient farandoles; ils accablaient de fientes les falaises cisaillées par les vents et les sels; je les voyais à peine; je ne voyais que l'intrus sans doute en train de les voir quelque part; je ruminais le sentiment qu'il imprégnait entièrement cet endroit; même le ciel, même la mer, de tout temps vides pour moi, accusaient maintenant son irruption impériale;

*

j'eus l'envie impérieuse d'examiner une nouvelle fois l'empreinte; elle n'avait peut-être jamais existé; son absence serait inespérée et me rendrait à ma splendeur ancienne; je courus vers elle, sur la plage maudite, je ressentis alors une vive émotion : *elle avait disparu, n'était plus là, je m'étais trompé!...*; j'allais hurler de joie quand elle surgit de nouveau, exacte au même endroit, hors d'atteinte de la houle;

de nouveau, je tombai à genoux devant elle, me mis à délirer en la fixant avec les yeux noyés; basculai sur le dos dans une sorte d'abandon à la fatalité; puis, je chantai une chanson-je-ne-sais-quoi, jaillie d'une crypte de ma mémoire; je la reconnus, je ne la reconnus pas; un couplet de matelot, de port et de beuverie; mélodie familière; j'étais à n'en pas douter un marin...; ces souvenances mystérieuses me remontaient par bribes; en vingt ans, il m'était venu autant de choses à l'esprit que tout ce que j'avais rapporté du bateau : des mots de langues bizarres... un goût pour les chapeaux et les bracelets... le geste pour le compas et pour l'équerre... l'habileté universelle de mes mains... mon art des fortifications... ma science des machineries pour capter l'eau, utiliser le vent, transporter des choses lourdes... mon ingéniosité pour bouturer les arbres fruitiers, semer et récolter malgré la rage des rats ...; je n'éprouvais jamais le sentiment de détenir un savoir-faire quelconque, toujours l'heureuse surprise de voir mes mains exceller à l'ouvrage; une virtuosité gisait au fond de ma mémoire obscure; elle jaillissait des cases perdues de mon esprit; cases oubliées, qui s'ouvraient sans raison, se refermaient sans bruit, et me laissaient pantois; cette sapience, j'en étais convaincu, faisait de moi un être pas ordinaire; j'avais dû être un homme très important, un ingénieur, un homme de certaine science, maître-constructeur, seigneur de plantation ou commandant de vaisseau; ma mémoire s'en était allée, mais mon aptitude à dompter l'infortune m'était restée intacte; c'est sans doute cette *expérience énigmatique,* indéfinie, illimitée, que je célébrais sans le savoir en moi, que je recherchais tout autant, et que j'avais déployée avec tant de vanité dessus la face de l'île-cachot...; pendant ces vingt années, j'avais creusé en moi, à la recherche de mes limites, de mes pouvoirs perdus et de toutes les raisons pour lesquelles les divinités m'avaient choisi pour affronter la puissance de cette île; je chantais;

*

j'ignore combien de temps je restai dos au sol à côté de l'empreinte, à me laisser bercer par d'étranges lubies, à vivre des délires que je pensais avoir vaincus et qui me revenaient-là, en mille chimères confuses ; je chantais, je beuglais, divaguais à voix haute ; je m'injuriais, et injuriais l'intrus lui-même quand j'avais le sentiment qu'il me zieutait de derrière un nuage, ou qu'il se faufilait serré derrière une grosse tortue en affres de pondaison ; je ne voulais plus quitter l'empreinte, la regardant à tout instant, ne l'examinant plus mais la recevant à chaque coup d'œil comme un vrai choc contre ma conscience ;

*

je restai sur cette plage durant sans doute bien des saisons ; me coinçant au plus près de l'empreinte ; la protégeant des hardiesses de l'écume ; lui construisant un petit ajoupa de crainte que l'ardeur du soleil ne la fasse s'en aller ; me levant-là, près d'elle ; me lavant-là, près d'elle ; pêchant à côté d'elle ; gobant des grappes de raisins, allongé-là, près d'elle ; elle changeait tous les jours au rythme de la plage qui elle non plus n'était jamais la même : il y avait de quoi être fasciné par cette insolite permanence du sable, toute faite de fluidité, de différences et de changements ; l'empreinte, elle, n'était pas en reste ; à force de se voir fixée, elle se transformait sous mes yeux fiévreux en une face sans traits : celle de l'intrus ; dans une volte hallucinatoire, elle devenait soudain sa voix ; ou alors, elle s'érigeait en un signe que l'intrus avait laissé à mon endroit : une mise en garde, ou un appel, une balise de frontière ou un emblème de possession ; quelquefois elle me hurlait : *Je suis venu !..* et d'autres : *J'y suis, j'y reste !...* ; ou encore, elle se mettait à exprimer la simple envie qu'avait l'intrus de se dégourdir la jambe en infligeant au sable la frappe de tout un pied ;

je me mis à l'imaginer par le détail; il devait être très grand, très lourd, moitié géant, compte tenu de l'impact que constituait l'empreinte; ma mémoire libérait des zones crépusculaires, et je le voyais avec des airs de nègre, ou des façons d'Indiens bariolés de roucou; il était de toute manière un de ces hideux fils du soleil, habitués d'être tannés par le sel, qui savaient décrypter les étoiles et dominer les vents avec leurs seules narines; il devait bien connaître cette région, la parcourir sans crainte dans une longue solitude; sa pirogue devait être suffisamment immense pour tenir si longtemps la haute mer; où l'avait-il cachée?... dans quelle anse inconnue?... ses comparses l'avaient-ils juste déposé et devaient-ils un de ces jours revenir le chercher?... qui était-il pour disposer de tant d'adresse, parvenir jusqu'ici, et parvenir à y rester sans se faire découvrir?... cette science faisait de lui un guerrier capable de m'anéantir en un rien de secondes; des milliers d'armes atroces me venaient à l'esprit, elles devaient lui peupler les épaules, lui battre les omoplates, lui encombrer les hanches; *haches à clous; assommoirs à tranchant; javelots d'éventreurs; flèches à poison; couteaux d'os de baleine; casse-tête à pointes de coquillage...;* il devait être nu, avec juste un fourreau pour son pénis de minotaure; sa chevelure devait être tressée avec du sang de lézard; et ses oreilles percées de tiges de jade et de poinçons de malachite; et son front aplati jusqu'à l'horrible pour qu'il puisse voir le ciel et le sol en même temps...;

il se formait et se déformait au gré d'images insensées qui me prenaient l'esprit; celle-ci me le présentait bleu avec des yeux jaunâtres; celle-là, couvert d'une bouillie végétale qui en faisait un épineux vivant; cette autre me le montrait avec des grappes d'anneaux cliquetants aux narines, aux lèvres et aux oreilles, tandis que des tatouages lui transformaient la peau en une écorce à maléfices... ; il n'en finissait pas de changer jusqu'au délire, au point de surgir tout rouquin et barbu, avec un croc de fer en guise de main droite, portugais, espagnol ou anglais, peut-être un de ces Français qui se croient toujours maîtres des petites îles... ; mais ces dérives ne tenaient pas longtemps ; il était impossible qu'il fasse partie des mondes que la frégate m'avait fait adopter ; il était autre, comme cette île, dans une étrangeté irrémédiable ;

je me mis à l'imaginer avec des yeux bridés, ou couvert d'un turban, la tête prise dans un casque à pointe et arborant un sabre turc en chevauchant une chamelle ; je le vis dans son peuple au cours de cérémonies ténébreuses où il buvait du jus de pierres et lisait des prophéties répandues dans les astres ; je le vis adorer des plumes, et se réclamer d'une famille de sauriens auprès de fleuves impassibles... ; il devait charroyer les intestins de ses parents dans l'urne d'un très gros coquillage, ce qui lui permettait de causer avec je ne sais quelle mauvaise part du ciel ; il devait griller du maïs rouge quand ses femmes accouchaient ou ordonner à la pluie de tomber avec une poignée de pollen... ; je sentais bien qu'il s'agissait de chimères enfiévrées, mais j'aimais, je l'avoue, les exciter à gourmandise, les ressasser à l'infini, prenant un plaisir trouble à ces illusions puériles qui me remplissaient d'une levée d'existence, inconnue de mon être depuis deux décennies ;

plus je me l'imaginais sous des formes primitives — surtout les plus grotesques — mieux j'éprouvais le sentiment de ne plus faire partie de cette humanité qui m'avait oublié, et que j'avais oubliée ; j'étais à part, *dans le vide du dehors,* et je regardais vers elle en hurlant vainement ; lui, ni personne ne m'entendait ; je faisais partie de cette chose qu'était l'île, enfoui en elle, et lui était l'humain ; il provenait de l'horizon, il chevauchait les vents, il pouvait repartir ; il n'avait pas besoin de moi, et moi je n'étais rien sans lui ; l'île-geôlière n'était qu'une brindille dans son vaste univers, pour moi au contraire elle était vraiment tout, mon début, mon présent et ma fin, tout mon passé et tout mon avenir... ; par une lente alchimie, sans même en prendre conscience, je renonçai aux craintes et me mis à le considérer autrement ; il détenait donc quelque chose que je ne possédais pas, quelque chose d'infini que j'avais dissipé en désirant le protéger : il était *tout l'ailleurs, le tout possible* aussi ;

soudain, en observant l'empreinte, je réalisai qu'elle provenait d'un pied droit ; c'était déjà de bon augure, le gauche n'aurait rien amené de bon ; on disait qu'en certaines peuplades des esclaves veillaient à ce que les visiteurs pénètrent dans un royaume en marchant du pied droit ; qu'il y avait, dans sept parties du monde, des escaliers dont le nombre de marches était calculé en sorte que le dernier pas, celui qui atteignait le temple, se fasse du pied droit... ; que certains apôtres du Christ ne laissaient dans la poussière que la trace de leur pied droit, et que les mères des grands prophètes ne bougeaient dans leur sommeil que l'orteil du pied droit... ; du coup, malgré le dérisoire de ces superstitions, l'empreinte acheva de paraître hostile ; *elle était celle d'un homme que le destin avait guidé vers moi ;* elle répondait à des années de terreur et d'appel en face de l'horizon désert ; il était tout aussi légitime que moi sur cette île, peut-être même aussi désemparé que je l'étais au début; je souris à l'idée qu'il pouvait être tremblant d'effroi dans le faîte d'un grand arbre; j'imaginais la tête qu'il allongerait en me découvrant un jour devant lui; j'ignorais quelle perception il aurait de moi; s'il aurait conscience de cette superbe dont je me pensais jusqu'alors investi...; sans doute m'avait-il vu passer et avait cru voir un archange des enfers, et que dès lors il se terrait dans un trou de cochon; je caressai l'idée qu'il était le rescapé d'un événement aussi mystérieux que celui qui m'avait jeté-là, et que nous pourrions ensemble achever de civiliser cette île; la soumettre à ce que nous avions de mieux dedans cette humaine condition dont en fin de compte nous détenions la charge; et puis : *qu'est-ce que j'avais à perdre?* Vingt ans de solitude!...; *quelle atteinte pourrait-il me porter?* m'éjecter d'une manière ou d'une autre de cette fixe oubliette!...; je fus effaré à l'idée d'avoir voulu le tuer, ou d'avoir imaginé qu'il puisse vouloir ma peau; si cette crainte était encore présente, elle s'agitait sans force devant l'exaltation qui soudain m'habitait; *j'avais envie d'aller à sa rencontre, de lui faire confiance, et de tout mettre en œuvre pour qu'il me fasse confiance;* et si le pire se produisait — s'il me tuait, me mutilait, me réduisait en esclavage —, je le laisserais faire car il m'aurait tout de même offert ce moment de contact, de toucher, de rencontre, que rien ne saurait vraiment dénaturer; un instant sans doute bref mais qui pour moi resterait une seconde grandiose — celui au cours duquel, après vingt ans d'involution, j'étais revenu à l'existence;

*

avec des tâtonnements des doigts, j'essayai de me trouver une face dessous l'amas de cheveux et de barbe qui ne laissaient libres que mes yeux à la limite de mon chapeau; avec mon couteau le plus aiguisé, je me mis à tout tailler, à tout raser, et le crâne et les joues, même les poils de mes bras et de mon torse et de mes jambes; je fus consterné de découvrir la masse de poils qui s'étendait autour de moi; un véritable pelage que je n'avais même pas remarqué; chose inhabituelle, je pénétrai dans l'eau pour me frotter, et me frotter encore; je voulais que ma peau d'homme apparaisse, qu'elle soit visible, je voulais qu'il me reconnaisse en lui; ce n'était pas un intrus, *c'était un autre*; un autre qui avait un peu à voir avec cette pauvreté que j'étais devenu; quelqu'un d'infiniment riche de tout ce qui n'était pas d'ici, qui pourrait me rendre à ce que j'avais été; je me chargeai de fruits, j'entassai dans un panier des cassaves, du vin de mangue et de framboise; je lui pris de la confiture de pommes-lianes, un poisson-coffre séché, une boulette de gelée royale... infimes merveilles avec lesquelles j'agrémentais le quotidien de mon enfer; et c'est lesté de toutes ces offrandes que je partis une fois encore à sa recherche...;

JOURNAL DU CAPITAINE

30 juillet – En l'an de grâce 1659 – Hier, nous avons aussi perdu un homme à cause du scorbut. Le chirurgien n'a pas voulu le conserver à bord. Je l'ai fait coudre très vite dans le linceul de toile. Nous nous sommes assemblés pour la prière des morts. La cérémonie fut bien plus lente que de coutume. Sans doute à cause de l'endroit singulier où nous naviguions : les algues bleues s'étaient estompées depuis longtemps sous un tapis de méduses. Le corps a basculé dans cette masse gélatineuse, vivante, comme si ces milliers de créatures par leurs seules agglutinations avaient créé un monstre immense qui guettait le navire. La dépouille de l'infortuné a eu du mal à s'y enfoncer, mais les boulets de douze ont fini par l'entraîner au fond, avec une lenteur tout de même inquiétante. Il a pu disparaître vers les abysses et confier son âme à Dieu. Je n'ose l'écrire, mais que les divinités qui animent ces méduses le protègent tout autant...

5 août – En l'an de grâce 1659 – Nous approchons du continent. Après les bancs de sable et les îlets de coraux, les premières îles ont été aperçues. Ce sont des choses toujours plaisantes à voir. Elles sont annoncées par des odeurs d'épices, des brumes de végétations, des vols d'oiseaux qui n'ont pas besoin de repos sur nos vergues. C'est toujours un miracle que d'en voir une se découper dans un horizon vide, comme sortie des abysses. Cela provoque à chaque fois le même contentement, surtout que nous en profitons pour remplir les barriques d'eau de source, récupérer deux ou trois lamantins ou des cochons sauvages à boucaner à la manière sauvage. Cela nous change des salaisons véreuses et du cuir des biscuits.

17 août – En l'an de grâce 1659 – Ce matin, en quittant une petite île inconnue que nous avions quelques jours accostée, j'ai eu l'idée de mettre le cap vers une ancienne passe où j'avais navigué il y a très longtemps. Quelque chose s'était mis à me trotter dans la tête, et des souvenirs avaient un peu excité ma mémoire et ma curiosité... Le maître de navigation n'est pas content. Là où nous nous dirigeons, les cartes sont incertaines. Pour le rassurer, j'ai fait multiplier les sondes et doublé les vigies...

2. La petite personne

difficile de qualifier l'exaltation qui m'emportait l'esprit; j'avais le pas vif et le dos détendu; je m'étais débarrassé de mes défroques de peaux de bêtes pour laisser libres mes bras; je portais juste cette livrée qui gardait mes genoux contre les épineux; une casaque me couvrait l'épaule et dégageait et mon torse et mon ventre; je voulais qu'il voie mes membres, le mouvement de ma respiration, l'ensemble de mon corps; mes yeux eux-mêmes s'étaient mis de la fête, et tentaient d'exprimer une partie de mon âme; j'étais sorti du plus profond d'une fosse pour me hisser plein d'appétit à la fenêtre de mes pupilles; j'avais même abandonné ces lanières qui depuis quelque temps m'enveloppaient les pieds; ils étaient nus pour que l'autre invisible puisse voir mes orteils; du coup, je sentais l'île exister tout entière sous le sensible de mes talons; le douillet des herbes denses; la succion des boues et fondrières; le chaud sec des rocailles...

je dérapais souvent car j'avais abandonné mon bâton de guide fondamental; il était agréable de quitter toute raideur sépulcrale dans ma manière de marcher, de me

79

tourner, de m'asseoir, d'être simplement vivant...; j'avançais cette fois à découvert, en provoquant le plus de bruit possible avec mes mots, mes chants, mes longues exclamations, et mes appels à chaque cent pas; je criais : *Holà holà, où es-tu, mon bonhomme ?...* ; et j'allais ainsi, prêt à le voir déboucher d'un grand arbre, ou surgir de la pénombre d'une ravine à bambous;

il y avait tant de désordre dans ma déambulation que les oiseaux en étaient affolés; ils jaillissaient de partout, en grappes compactes qui explosaient dans tous les sens et qui se reformaient là-même en face de ce danger; les broussailles s'agitaient sous des fuites éperdues, sans doute celles de volatiles nichant au sol, mais aussi de rats, de serpents, ou de ces maudits chats, sauvés de la frégate et qui depuis n'avaient cessé de foisonner; j'avais combattu ce problème en les chassant pour les manger; je faisais des flûtes avec leurs os; j'accrochais leurs crânes au-dessus des semailles pour contrarier les quiscales noirs; je les utilisais aussi en guise d'appâts vivants pour me prendre des requins, m'assurer l'huile de leur foie ou le délice d'une soupe d'ailerons; j'étais heureux d'être bruyant; je m'étais toujours insinué entre les hostilités de cet endroit, à pas prudents, à pas inquiets, puis à pas tellement raides qu'ils s'étaient enfermés dans une contrition silencieuse; là, ce débraillement achevait de me débarrasser de mille ans d'ankylose;

impossible de compter la distance parcourue chaque jour; je marchais jusqu'à épuisement, ne m'arrêtant que pour chasser un chat, un jeune oiseau, et me le cuisiner en pompes cérémonieuses; je voulais que le fumet de la chair grillée s'étale dans tous les horizons et que le bougre accoure vers moi ; je fis du chat, mais aussi du lapin, mais aussi tourterelles et ortolans ; je fis un gros lézard qui me rappelait la viande de bison et que je fourrai avec des œufs de caille ; je fis de même un serpent d'eau qui m'avait sauté dessus au moment de mon bain ; c'était la grande nouveauté que la question du bain ; j'abordais aux rivières avec toujours l'envie de m'y plonger, de me laver, de décrocher ces croûtes millénaires qui me couvraient de partout, et qui à mesure à mesure s'en allaient par écailles ; ces eaux fraîches me paraissaient tellement engageantes que je m'y allongeais très longtemps sans bouger ; dès lors des centaines d'écrevisses se précipitaient autour de moi, ce qui me permettait de les saisir par grappes et d'en faire de jolies fricassées dans ma gamelle en fer ; c'est d'ailleurs au moment de les cuire que je fis une découverte pour le moins consternante ; je m'étais accroupi près de mon petit feu, ravi du grésillement des écrevisses dans mon huile de coco, quand je découvris mes orteils ; mon cœur se serra de douleur ; je crus voir une patte d'animal, pourvue de griffes vitreuses, longues et déformées ; durant ces vingt années mes ongles avaient poussé d'une sorte extravagante et me donnaient des pattes d'ours auxquelles je n'avais jamais accordé d'attention ; le spectacle de mes mains était encore plus triste ; les ongles s'étaient rognés, cassés, striés, fendus, ils s'incurvaient presque comme des serres et en diverses longueurs ; je mis un soin méticuleux à les réduire tous, puis à les gratter avec mon couteau, jusqu'à restituer à mes doigts et mes orteils une apparence soutenable ;

hélas, ce ne fut pas la seule consternation ; la suivante concernait mes illusions sur ma parole ; outre mes chants, j'arpentais les sous-bois, les savanes et les mornes, bien exposé aux quatre vents, et en criant : *Holà !...;* à chaque promontoire — quand la configuration permettait à ma voix de porter au plus loin — je criais de toutes mes forces un mot, un vers de mon petit livre, quelque chose qui puisse signaler à cet autre qu'un frère vivait-là et qu'il le cherchait ; j'avais en tête ce que je croyais prononcer, mais la surprise fut que soudain je m'entendis moi-même ; j'avais d'abord crié : *Holà !...* mon esprit en était persuadé, mon entendement l'avait enregistré comme tel ; mais dans l'endroit où je l'avais crié — au bord d'une falaise, qui surplombait d'autres falaises plus basses — ma voix avait porté contre celles-ci, provoquant une manière d'écho qui répercuta ce que j'avais crié : *un grognement incertain !...;* quelque chose dont je ne savais rien et qui ne correspondait en rien à ce que je croyais avoir articulé ;

je faillis tomber à la renverse ; le cœur battant, je prononçai d'autres mots, quelques phrases, je chantai quelques couplets et deux de mes plus vieilles chansons ; chaque fois, je ne percevais en retour que sifflements ou grognements, bêlements, hululements, caquètements... des sonorités qui me renvoyaient bien plus à ce qui constituait mon univers sonore qu'à la structure d'une parole d'homme ; mes mots avaient dégénéré en d'angoissantes copies de ces cris d'animaux qui tout le temps m'entouraient ;

j'aurais pu en pleurer, mais mon exaltation vers cet autre était telle, que je me contentai de le savoir ; je demeurai en face de ces falaises qui répercutaient l'écho, et là, pendant une belle éternité, sans doute plusieurs semaines, je vérifiai la conformité entre l'image des mots tels qu'ils étaient dans mon esprit et les sonorités qui sortaient de ma gorge ; je faillis abandonner à maintes reprises, craignant, par une déformation fatale de mon larynx, d'avoir perdu la grâce de la parole ; mais des choses revinrent ; l'écho me renvoya quelques phonèmes, puis des syllabes, enfin des mots qui constituaient des similis de phrases ; je repris mes déambulations vers mon bonhomme, sans cesser de travailler ce laborieux retour à la bénédiction du verbe ;

*

seigneur, un mélange de consternation et d'exaltation m'habitait ; j'étais affligé de découvrir ce que j'étais devenu réellement ; néanmoins, l'exaltation de rencontrer cet autre, de reprendre contact avec une part humaine, me remplissait de joie ; en m'isolant dans l'île, en m'isolant de l'île, je m'étais aussi isolé de moi-même ; ma vie s'était juste adaptée à ce qui était fonctionnellement indispensable dans cette puissance hostile ; j'étais entré en osmose décadente avec elle ; elle m'avait aspiré, peut-être même digéré, modelé à sa manière ; doutant de la justesse de mon entendement et de mes sens, j'entrepris de remettre en cause les couleurs, les saveurs ou les senteurs que je croyais identifier ; il ne se passait plus une seconde sans que je vérifie si ce que je percevais sur le moment était en accord avec le possible de ce lieu ; je réalisai alors que, depuis je ne sais combien de temps, le ciel pour moi n'était pas bleu ; il n'avait pas de couleur ; il était un couvercle ; il était un vide ; il était un abîme ; ce que je percevais de lui n'était qu'une chimère née d'une quelconque émotion ; le même phénomène s'était produit en ce qui concernait la mer, et par extension l'ensemble de l'île; dès lors, à la moindre occasion où je longeais une plage, je dus réapprendre à regarder de manière réfléchie; je cherchais les bleus, les violets, les jaunes, les rouges, les teintes argentées des nuages, les blancs crémeux, chaulés ou pétillants de l'écume; je découvris dans les feuillages des verts chauds, des verts légers, des verts tièdes, des verts ombrés, des verts allant au rouge ou travaillés de jaune; je fis de même pour chaque fleur, chaque animal, chaque objet; dans tout cela, la lumière menait d'inépuisables fluidités chromatiques; j'avançai bientôt dans une explosion enivrante de reflets incessants, de scintillements somptueux; j'errais dans un palais de diamants et d'ors fins exposés aux éclats de mille torches; chose étrange, devant un tel spectacle si constant, si total, je me mis à trembler; mes jambes perdaient de leur allant; tout était trop nouveau, trop renouvelé, trop étonnant; tout se présentait à moi autrement, dans une franche abondance; mon esprit était devenu d'une telle mobilité qu'il m'emmenait au vertige; je dus m'asseoir souvent, fermer les yeux pour conjurer ces flots d'informations qui m'asphyxiaient parfois; pour leur échapper, je m'endormais d'un coup, longtemps, à la manière des nouveau-nés qui filtrent ainsi le monde quand il dégorge en eux;

*

il me fallut du temps pour m'habituer à mon nouvel état, et retrouver une relative sérénité; l'exaltation m'avait quitté; j'étais plus sobre, plus calme, plus attentif à moi-même et aux détails de mon entour; je remerciai le ciel de cette redécouverte inattendue et générale;

sans elle, l'autre n'aurait rencontré qu'une bête griffue, grognante, agitée, hystérique ; maintenant, je cheminais tranquille ; mes yeux se posaient avant tout des questions ; mon entendement égrenait un long chapelet de doutes, s'équilibrait avec ; je modulais les sons qui sortaient de ma bouche pour leur conférer le plus d'humanité possible ; et mon cœur, quelque peu ralenti, supportait mieux cette effervescence d'odeurs et de couleurs qui escortaient mes déambulations ; j'allais ainsi vers l'autre ; et c'est alors que je le vis ;

il était là, juste en face de moi, posté dans une savane ; il mâchonnait des baies rouges qu'il semblait extirper des arbrisseaux environnants ; il devait être très âgé ; le poil gris ; les yeux sombres et ternis ; sa mâchoire bougeait convulsivement, mais son port restait des plus altiers ; il me regardait sans surprise mais aussi sans aucune amitié, juste contrarié de me voir déranger sa quiétude ; après l'avoir salué avec le plus de cérémonie possible, j'entrepris de lui parler doucement ; il recula de deux pas, en tressaillant ; je m'arrêtai en m'imprégnant d'une lenteur apaisante ; veillant à l'élégance de mes gestes, je lui montrai une à une les douceurs que je lui destinais ; il demeura sans réaction ; je m'assis dans la savane, et lui montrai comment je dégustais quelques-unes des savoureuses merveilles que je sortais de mes calebasses ; dans le même temps, je disposais tout le reste devant moi, et d'un geste avenant l'invitais au partage ; son odeur était si forte qu'elle envahissait la savane et s'imposait à mes narines ; elle était... ; *elle ne m'était pas étrangère...* ; soudain, je fus saisi d'un tremblement de mon esprit ; mais il y avait tant de sagesse dans ses yeux, que je lui parlai de nouveau ; je lui dis ce que je croyais être et que j'avais vécu ; je lui parlai de l'île, de la frégate, des rats, des chats, de mes champs, de mes ruches, de mon navire enraciné, de mes tentatives pour quitter l'île sur des radeaux de gomme et de bambous... ; en pure perte ; je persistai encore à lui détailler bien des péripéties, jusqu'au moment où il se recula et commença à s'éloigner ; c'est alors que je vis... ses cornes de bouc... et que je me mis à brailler de surprise et de honte... ;

ce vieux bouc m'avait paru bien plus humain que moi!... ; me croyant tombé fou, je me précipitai dans le sombre d'une ravine où je me recroquevillai de désespoir ; impossible de comprendre ce qui m'arrivait-là ; une telle hallucination était le signe d'un éboulement de mon esprit ; il me fallut plusieurs heures de vive cogitation pour admettre qu'il n'y avait dans ce malheur qu'un grand désir de l'autre ; une soif inapaisable pour une goutte d'humanité ; quand je repris mon cheminement, cette machine à désir que j'avais pu identifier me permit d'explorer cet endroit bien mieux qu'en toute autre période de ma vie solitaire ; je n'avançais pas dans l'espace : j'arpentais de petites plénitudes et de brusques profondeurs d'émotions ; chaque pas était une occasion de connaissance ; chaque sommet d'un morne, un lieu d'apprentissage toujours émerveillé ; ce qu'il y avait de sensible ou d'humain dans ce qui m'entourait — arbres, bestioles, feuillages, rochers et mousses, vents et falaises — se dévoilait sous mes regards ; éclats de conscience, circulations de tendresse ; moments vrais d'affection et de mélancolie ; je passais mes journées de marche à regarder vraiment ces existences ; j'étais enfin capable de ressentir ce que nous partagions ; tout comme moi, chacune s'efforçait de vivre ce qui lui était donné; tout comme moi, chacune se démenait dans ses ruses de survie; elles vivaient toutes comme moi dans cet « en-dehors », dans ce fond d'oubliette, et devenaient du coup mes comparses d'infortune, mes frères en perdition; nous étions sur le même navire et dans la même fatalité; je fus heureux de cela, et tourmenté aussi;

*

je n'en avais pas fini de mes surprises; j'avais parsemé l'île d'une troisième ligne de résistance : des trous de réserves creusés dans des bases de falaises; ils dataient de ma crainte quotidienne d'une invasion de sauvages; je les avais nommés — *Points stratégiques, Flancs tactiques, Camps opérationnels, Bases arrière, Logistique de ressources...* — selon un vocabulaire monté des béances de ma mémoire; ils me permettaient de me réfugier en n'importe quel point de l'île sans manquer du nécessaire pour un nouvel établissement; à mesure de mes excursions tapageuses à la recherche de l'autre, mû par de vieux réflexes, je revisitai un à un ces endroits; tous étaient submergés comme il fallait de broussailles qui les rendaient impossibles à déceler; dans mon souci de civiliser cette île, j'avais pris l'habitude de nommer ces réserves par un écriteau posé en discrétion dans les environs proches; au gré des réapprovisionnements, je renforçais les encres pâlies, ou je les recouvrais de signes, de mots, de phrases extraites de mon cher petit livre; donc, ce jour-là, je retrouvai une de ces bases dans un creux minéral, occulté de broussailles odorantes qui enivraient un essaim d'abeilles rouges et des chenilles poilues; elle était constituée d'un ajoupa de bois-côtelettes, encastré dans un éboulis de roches ; devant glougloutait une rivière qui projetait son eau dans des cailloux sonores ; en cherchant l'écriteau qui devait s'y trouver, je tombai sur un tronçon d'écorce qui n'arborait qu'un gribouillis infâme ; ce griffonnage ne se contentait pas d'être incompréhensible, il relevait à l'évidence de la main d'un dément ; le nom du lieu, le sceau de mon emprise, la marque de ma splendeur, n'était en fait qu'un barbouillage sans âme... ;

je repartis en courant, tel un canard au col tranché, recherchant mes écriteaux les plus proches, mes signes et mes balises ; et, chaque fois, j'allais de découverte amère en découverte amère ; quelques-unes des pancartes avaient conservé des mots, *Yé, Tabac, Congo, Odono, Jupiter, Niger, Joli pont*... ; certaines, des plus anciennes, ressemblaient à ce que j'avais voulu écrire : *Voie pour la parole, Dire et penser, Conviction*... ; mais toutes les autres avaient connu des effacements de la phrase initiale dus au soleil et à la pluie, et ce que j'avais écrit par-dessus n'avait plus aucun sens : des associations de syllabes ou des lettres qui s'entrechoquaient dans une poignante absurdité, *KKKOP, IIIMBV, ILILILX*... et j'en passe...

plutôt que de pleurer, je me convainquis d'en être heureux ; pour chacune de ces enseignes, je pris le temps du nettoyage ; d'abord, d'un effacement soigneux proche de la conjuration ; puis avec toute l'attention, la civilité, la conscience, la volonté et le désir possibles, je leur réécrivis une nomination — *Cavales... Cochers immortels... Krisis... Variation... Immobile...* — en priant le ciel d'avoir vraiment écrit ce que j'avais voulu dire...

*

le doute sur la qualité de ce que je restaurais, ou que je ramenais de moi-même, persistait d'une manière très saine ; je m'en servais comme des tisons de vigilance : mieux m'observer, mieux me guetter, scruter la finalité de mes gestes, écouter ce que je chantais comme quelque chose d'étranger à ma bouche, surveiller mon écriture et relire mille fois le moindre des tracés... ; cette réaction était à mon sens positive ; sans me laisser abattre par le constat de toutes ces régressions, je réagissais en homme, reprenant l'affaire en main ; pour moi, il était établi que l'esprit solitaire est avant tout un abîme d'illusions ; le savoir me donnait le sentiment d'être en perdition dans une mer furieuse et d'avoir à me raccrocher à cette unique planche de salut qui n'était autre que mon moi primordial, mon reste d'humanité...

j'étais attentif à cette résurrection qui s'opérait de jour en jour au gré de mes déambulations ; aller vers cet autre me précipitait dans de féconds bouleversements ; je m'étais jusqu'alors enfoui dans un marais de délire pris de fermentation dans le fond de mon crâne ; dès lors, je consacrai mes forces à camper au-dehors, comme en plein vent, sous les frappes des ondées de passage et les frappes du soleil ; dehors, vraiment, comme au bord d'une falaise exposée aux furies des tempêtes ; moi qui m'étais toujours maintenu à couvert dans des tentes, ajoupas, grottes, cavernes et ravines, je vivais au-dehors — et sans doute même : *en* dehors —, je mangeais dehors, œuvrais dehors, dormais dehors, rêvais dehors, pissais et déféquais dehors ; je fuyais les retraites, demeurant exposé au plus vif, pour éviter d'être emporté par un autre maléfice ; je me mettais une nouvelle fois à tout redécouvrir ; et ce n'était pas seulement cette prudence et ce doute qui aiguisaient mon nez, mes oreilles, mes yeux ou bien ma bouche, ni même qui amplifiaient les palpations de mes mains : c'était surtout *l'apparition sans surgissement*, impalpable et diffuse, de cet autre que le destin m'avait enfin donné ; il escortait mes pas ; il créait mille possibles à chacune de mes explorations dans une contrée nouvelle ; j'imaginais qu'il avait vu ce que je voyais, de telle sorte que son regard précédait désormais le mien sur ce que j'observais ; et il ne faisait pas que le précéder : il le conditionnait ; je tentais de ressentir ce qu'il avait ressenti au contact de tel amas de nids d'oiseaux ; s'il avait frémi devant ce vieux cochon dont un mystère avait couvert la tête d'une crinière jaunâtre… ; je sentais son existence, c'est elle qui donnait les couleurs, qui déterminait mes propres impressions ; et par-dessus tout cela, il m'était impossible de ne pas imaginer *le désir infini qu'il avait de cet endroit* après sans doute des mois de navigation solitaire ; il s'était mis à l'investir avec une gourmandise qui me rendait jaloux et qui en retour entraînait de ma part une convoitise ardente pour l'île tout entière ;

*

les déambulations continuaient à me ramener vers mes emprises anciennes ; même avec le sentiment d'errer au gré d'un pur hasard, j'arrivais toujours à l'une de mes réserves, au bord d'une de mes plantations d'orge, de riz, de café, de blé ou de maïs… ; j'avais beau faire, je me retrouvais à un moment quelconque de la journée pile à côté d'une réserve d'armes ou de vivres ; en fait, je n'errais en aucune manière mais demeurais inscrit dans un corset intime; je remontais point par point les espaces de cette île qui m'étaient déjà connus et, insensiblement, j'évitais tous les autres; pour combattre cette mécanique, je me mis à « réfléchir » mes déplacements; le plus simple fut pour moi de me mettre à la place de cet autre et de m'imaginer juste échoué sur cette île carcérale, et organisant mon exploration selon une émotion qui devait être la sienne; ainsi, je sortis des ornières de mon esprit, et j'allai au-dehors, en dehors, exposé...

*

dès lors, quelque chose d'autre m'orientait sans me guider; une force nomade; elle conduisait mes pas, mais demeurait posée à l'extérieur de moi; de moment en moment, elle effleurait mon esprit, titillait mes désirs, me conférait une impulsion inattendue; je pouvais sans raison opérer une volte-face, ou me mettre à dévaler un dénivelé où des bambous grinceurs semblaient m'avoir appelé; je traversai ainsi des zones invisibles jusqu'alors; un très puissant sentiment d'étrangeté se mit à monter du renouvellement inépuisable des espaces de forêt lourde ou de friches frissonnantes...

je vis des troncs à écorce éclatée qui sentaient le soufre et le bois d'Inde; je traversai des savanes boueuses, hérissées de pierres biscornues, couvertes de signes qui, en des temps oubliés, avaient dû servir à des fêtes de sauvages...

je découvris des peuples de lianes; elles avaient envahi les arbres et les arbustes de leur entour, maillant et remaillant tout ce qui existait en leurs proximités, jusqu'à tout étrangler; elles s'enchevêtraient dans un fouillis que je devais tailler au grand sabre; je croyais entendre des gémissements de tout ce qui se trouvait saisi dans leurs étaux; elles lançaient vers le soleil une constellation de fleurs jaune vif, affamées de lumière, voraces de la chaleur, et qui attiraient des volées d'oiseaux-mouches et une qualité de petits singes sauteurs;

je vis un paysage silencieux, ou plus exactement : dont la matière semblait faite de silence; comme un trou soudain que tout ce qui existait avec bruits et tapages désertait complètement; cet endroit était couvert de caillasses noires, usées par le rabot des vents; il était criblé de cratères plus ou moins accusés où gisaient des escarbilles impossibles à définir, brillantes comme des miettes d'étoiles; l'endroit avait sans doute été pilonné par des milliers de boulets venus des fonds du ciel; là ne se voyaient que des circulations de termites qui mangeaient de la ponce, et une qualité d'araignées à poils verts dont les pièges gluants décimaient des lézards et d'infimes chauves-souris...

dans les sous-bois touffus, certaines pénombres très moites soulevaient en moi des geysers d'émotions; elles me renvoyaient à un monde étranger; celui du bateau avec lequel j'avais refait mon existence était bâti de sources paisibles, de prés charmants, de châteaux et de villes, de ports et de voies empierrées; l'autre monde qui surgissait en moi dans ces pénombres humides se constituait de savanes roussies, de rivages s'ouvrant sur des mers déchaînées, de rivières aussi démesurées que des fleuves, et de fleuves semblables à de vastes océans;

j'entrevoyais des ruées végétales où croissaient des fougères à reflets bleus et or; des plantes ressemblant à de petites couronnes y entouraient des fûts immenses dont il était impossible de deviner le faîte, ni même de décider si c'étaient de vrais arbres...; j'en étais ému, comme ramené dans une crypte d'enfance; je m'attardais tellement dans ces pénombres suintantes que je les peuplais de ces elfes, farfadets, korrigans, dont j'avais rapporté les images du bateau; je crus même surprendre dans des émanations troubles les lignes d'un château dont le donjon s'élevait à la manière d'un résineux... mais de tels mélanges ne pouvaient se maintenir : ces lieux relevaient d'une autre réalité que celle des châteaux...; les images rapportées de la frégate peuplaient tant mon esprit qu'elles projetaient sur tout ce qui ne les concernait pas une emprise conquérante...

*

dans cette redécouverte de l'île, l'impression qui s'imposait à mon esprit était celle d'une « épaisseur farouche », un état primordial dont je ne percevais qu'une infime partie et qui se moquait bien de mes fortifications, pâturages et emprises; l'île était là dans ce qu'elle avait toujours été — immense, inépuisable — et que j'avais cru avoir domestiqué; je me sentais infime en face d'une telle profusion; cela se déployait sans fin sous mon regard devenu clair; et ce n'étaient pas seulement mes yeux qui se retrouvaient submergés, c'était cet ordre que j'avais appliqué à coups de codes et de lois conquérantes, et qui, à force d'être projeté sur ce qui m'entourait, s'était fiché en moi pour avant tout me posséder; ces remparts orgueilleux tombaient l'un après l'autre sous l'explosion entremêlée de chacun de mes sens ;

je n'en finissais pas d'être enivré par des flots de senteurs ; chaque endroit imposait la sienne ; le vent les mélangeait sans amoindrir leurs singulières intensités ; des dizaines de fragrances demeuraient immobiles au-dessus d'un marigot, à l'aplomb des ramures du manioc, sur des rocailles ensoleillées où ondulaient des herbes de citronnelle ; elles persistaient en nappes autour d'une qualité d'arbres à écorce tachetée, moelleuse comme une peau — et je les traversais en écartant quelque chose d'invisible avec des mouvements désordonnés du bras, à croire que j'avançais dans des rideaux de tulle... ; incapable de les identifier, je me raccrochais à des arômes connus, des similitudes olfactives qui me rassuraient en évoquant la rose, le jasmin, la papaye, la frangipane, le thym ou la violette... ; mais j'en percevais d'emblée l'insuffisance, si bien que mon mental se mit à les agréger de manière délirante ; ce qui donnait des précipités d'héliotrope dans la myrrhe, des voltes de benjoin et d'origan sur du sable brûlé, des tracas d'amande dans des filets de camphre... ; mille combinaisons absurdes que je concrétisais avec dix mille tirets — *ilang-ilang-jasmin-iris, anis-thym-caca-tubéreuse-citron, romarin-frangipane-opopanax-pierre-froide...* — tandis qu'elles suscitaient dans mon esprit soûlé des images de monastères tapissés de feuilles d'or, de cordages emmêlés dans des tourbillons d'eaux, de villes crayeuses écrasées de soleil, ou de temples affaissés en ruines molles dans des champs de lavande... ; avec cela, mille et mille sensations, souvenirs avortés, résurgences volatiles, assaillaient ma conscience pour y stagner longtemps, et sans aucune utilité ;

*

échappant aux ivresses de parfums, je me voyais emporté par ce que j'entendais ; l'île avait toujours été bruyante : le fracas de certains rivages, la furie des vents contre les falaises, la crécelle des feuillages, la masse des cris d'oiseaux, le crépitement des millions de bestioles qui remplissait les nuits ; à cela s'ajoutait la bacchanale de mes bêtes domestiques, des rats dans mes récoltes, ou des geckos qui maudissaient la lune... sans compter la cacophonie des cric-crac, plof-plouf, glouglou, bouf, froufrou, crincrin et glinguinzing, qui altéraient les ombres d'une touche de maléfice... ; ce tumulte m'avait persécuté pendant de longues années ; pour y survivre, j'avais fermé mon entendement à ces complots de tintamarres, et, en y réfléchissant bien, j'avais passé le plus clair de mon temps à refuser de les entendre ; les écluses de mon esprit, filtrant l'île tout entière, l'avaient rendue quasi aphone et silencieuse ; étaient restés audibles : les bruits des oiseaux que j'avais pour coutume de chasser, les jérémiades de mes bêtes au moment d'un besoin, la manière du vent juste avant l'ouragan ; ou encore : ce frémi des rocailles quand un tremblement de terre commençait à surgir et qu'il me fallait fuir les voûtes et les cavernes ; maintenant — comme si j'avais voulu entendre ce que l'Autre entendait, comme si j'étais jaloux des innocences de son oreille — mon ouïe s'ébattait dans une haute convoitise ; les bruits de mes premières années me revenaient dans un décomposé à la fois fluide et compact, où chaque élément alimentait de sa touche singulière un ensemble colossal ;

le fracas des oiseaux sortait de l'indistinct pour muer en gazouillements, sifflements, flûtes, cancanages et coin-coin... ; ça caquetait, crételait, gloussait et roucoulait de mille et douze façons, ce qui attirait mon attention sur des aigrettes, des gorges vives, des becs bizarres, des miroitements de plumes, et sur des manières insolites de voler ; les sources murmuraient ; les rivières exhalaient des mélodies joyeuses ou tristes ; les falaises devenaient des guitares ; le tintamarre diffus des moments de la journée se transformait en une constellation que je pouvais identifier, et qui se répandait comme une moire orchestrale ; cela donnait une autre vérité aux espaces de lumière, aux lieux d'ombre, aux multiples échelons d'altitude ou de dégagement ; une vraie sculpture sonore qui me permettait de percevoir et le mouvement du temps et les densités des différents endroits qui se métamorphosaient au gré de ce mouvement... ;

*

depuis que j'avais la certitude que cet Autre était là, et qu'il y vivait avec intensité, je mesurais à quel point jusqu'alors mon espace était resté figé ; combien j'avais maintenu cette île dans une immobilité aussi massive que sommaire ; et combien les sources n'avaient été qu'utiles, au point de ne même pas chanter comme elles le faisaient maintenant, m'offrant sans retenue des dentelles d'eau vivante, et des ombres utérines qui m'affolaient et l'esprit et le corps... ;

*

juste une précision, seigneur, quand je pensais à lui, *à l'Autre,* je mettais à présent une majuscule au mot...

*

le vent jouait de mille manières, à différents rythmes, les branches, les sables et l'à-plat des savanes ; il se heurtait aux troncs, remontait les écorces, déclenchait des crécelles en provoquant parfois des cascades de feuilles mortes qui paraissaient m'offrir d'élémentaires acclamations ; les oiseaux me permettaient de déceler ses lignes de force, ils suivaient ses voltes ascendantes, s'égaillaient quand il se mettait à sillonner juste au niveau du sol... ; les abeilles et autres choses volantes grouillaient dans les souffles qu'il épandait partout, comme des cercles en extension sur une eau invisible ; la moindre plante se nourrissait de papillons, transformait ses fleurs en oiseaux-mouches, transmutait ses feuillages en des peuplades d'insectes... une instabilité vivante que le vent accentuait en augmentant les frissonnements, les sauts et les brusques envolées ;

*

les arbres soudain devinrent vivants ; ils se reliaient entre eux dans des assemblées secrètes que parfois je longeais en silence, tête baissée, avec le sentiment de déranger ; j'en étais d'autant plus effaré que, depuis mon arrivée, je n'avais considéré les arbres que pour évaluer leur dangerosité ; tous m'avaient paru recéler du poison avec plus ou moins de ferveur ; tous, à des degrés divers, avaient été soupçonnés d'épancher des fièvres ou de vieilles influences ; je les avais classés en fonction du

97

degré d'inquiétude que j'éprouvais au-devant d'eux ; sur cette base, une bonne part de mon temps s'était vue consacrée à les nommer en utilisant des souvenirs qui jaillissaient de ma mémoire ou du monde que m'avait accordé la frégate ; je disais *chêne-sorcier, bouleau-dragon, baobab-serpent, saule-acide...* selon des ressemblances et quelques vagues analogies ; j'avais de même nommé toutes sortes de fruits bizarres, *pommes, raisins, cerises, framboises,* jusqu'à inévitablement recourir aux tirets afin de circonscrire une irréductible singularité — je disais alors : *pomme-liane, abricot-morne, mangue-bœuf, amandier-chien, raisins-bord-de-mer...* ; nommer avait sans doute été l'activité la plus orgueilleuse de mon esprit ; mais là, maintenant, dans ce maelström que cet Autre déclenchait, je ne trouvais rien à nommer, ni même comment nommer ; je ne pouvais même plus envisager de nommer ; je me contentais de regarder, de deviner des flux d'*apparitions* plus ou moins bienveillantes, et de communier vaille que vaille avec elles ; j'éprouvais le sentiment d'être en face de puissances dont l'origine surpassait la mienne de plusieurs millénaires, et qui sans doute se trouveraient encore en cet endroit bien des siècles éperdus après moi... ; j'étais devenu infime ;

*

avec ces chimères dans l'esprit, je déambulais en oubliant parfois que j'étais à la recherche de cet Autre qui m'envahissait tant ; j'étais enivré de découvertes et d'incompréhensions ; je me contentais d'aller aux senteurs, aux parfums, aux musiques du vent, dans une extase inquiète ; il m'arrivait de rebrousser chemin pour simplement sentir, toucher, regarder ou entendre, ébahi par cette île demeurée hors d'atteinte de ma hautaine gestion ; avec mes techniques, mes codes et mes lois, mes imageries et mes principes, je n'avais constitué pendant toutes ces années qu'une pellicule infime sur une épaisseur que je n'avais pas été capable de seulement deviner ; ou peut-être l'avais-je trop devinée, ce qui m'avait incité à vivre dans une semblance remplie de décors d'opérette, et de croyances fumeuses dont le socle était vide ;

durant ces vingt années, seigneur, j'avais été en face à face avec cette île, avec une constante sensation d'être menacé par elle ; mes efforts avaient consisté à me barricader dans mes chimères, nous avions donc été sans doute invisibles l'un à l'autre ; elle s'était racornie dans l'espace labouré par mon regard et mon vouloir... ; l'île n'avait existé que par moi et pour moi ; j'avais été ma propre et seule réalité ; lui, cet Autre inattendu, m'avait non seulement explosé avec sa seule empreinte, mais je le découvrais en train de faire exploser l'île tout entière en un vrac d'apparitions ahurissantes ; elles m'enivraient avec une telle violence que beaucoup d'entre elles commencèrent à doucement me terrifier ; je regrettais presque l'idiot à parasol qui déambulait par savanes et sentiers avec des allures de beau coq à belles poses ; je n'en finissais pas d'aller et de revenir, de découvrir et de surprendre cette réalité qui n'avait pas de fin, et qui me traversait dans la sidération, tel un souffle venu des abysses inconnus de ma propre perception ; j'étais explosé de la manière la plus simple et la plus littérale ;

*

je retrouvais des émotions que j'avais oubliées; je pleurais sans savoir pourquoi, mais surtout le plus extraordinaire, seigneur, c'est qu'en face d'un surgissement inouï — *paysage, senteur, un simple murmure, une race de cabri inconnue, ou un cochon sauvage jamais vu jusqu'alors* — un vif sentiment de surprise me faisait éclater de rire; je redécouvris le rire, mon rire; ce phénomène commença un jour que je m'avançais à pas prudents vers une touffe de broussailles odorantes; mon regard désormais attentif y avait repéré un minuscule nid, constitué d'une irisation semblable à une rencontre de la lumière avec des fils d'or; l'oiseau paraissait piocher dans un trésor de pirate quelque part sur la côte, et il tissait avec son fabuleux logis; le nid était bien plus minuscule que cette bulle moelleuse que concoctent les oiseaux-mouches; il était fixé dans un entrelacs de branchettes, bardées de ces longues épines qui ne laissent aucune chance à la voracité d'un quelconque prédateur; je m'étais penché vers le petit prodige, sans doute tel un conquistador rêvant d'eldorado, quand je fus assailli par un couple d'oiseaux dont je ne pus distinguer la manière; encore aujourd'hui, je suis incapable de préciser à quoi ils ressemblaient; d'une agilité époustouflante, ils parvenaient à me picorer les bras, les mains, le front et le cou avec une telle précision que je fus obligé de fuir; je dus me jeter dans un creux de racines, me faufiler sous des souches échassières que les araignées avaient affublées de barbiches; et là, je me mis à rire d'avoir été livré à la panique par si peu d'existence;

mes premiers rires furent un peu rocailleux, proches du grommellement étiré; puis ils partirent à la dérive, rappelant la crécelle des feuilles sèches, puis le cristallin des

100

sources au moment des longues pluies ; enfin, ils s'installèrent dans une limpidité juvénile qui n'arrêtait pas de me surprendre moi-même, et qui me paraissait plus proche d'une harmonique de balafon que d'un mouvement prosaïque de larynx... ;

je pris alors conscience que, durant ces vingt années, mon rire lui aussi avait disparu ; je l'avais pourtant cultivé du temps de mes craintes d'une chute en animalité, riant pour rien, au ciel vide, à la mer marâtre, riant aux perroquets, riant quand j'y pensais, juste pour en conserver la fonctionnalité ; mais il avait fini par disparaître sans tambour ni trompette ; à mesure que j'avais mis en œuvre mon orgueilleuse administration, je m'étais fermé au contact de ce qui m'entourait ; je m'étais fermé surtout au seul humain capable d'entendre un rire, de le répercuter, de le nourrir ainsi : et cet humain c'était moi-même ; j'étais devenu une mécanique administrative, une frappe exploitante, cherchant à combattre les rats, les chats, les attaques de termites, domestiquant les sources et la force du vent, traquant la moindre usure dans mes édifications et dans mes palissades, refusant le défait, haïssant le négligé, établissant sans cesse des plans et des programmes, imaginant toujours quelque moyen supplémentaire de produire, de consommer, d'accumuler, de croître et de m'étendre sur cette île qui me servait tout à la fois d'empire et de cachot ; je n'avais été en contact véritable avec rien ; et, par un raide paradoxe, cette absence de tout contact m'avait éloigné de moi-même ; c'est là sans doute que le rire disparaît, que le sourire s'oublie ; maintenant, je les retrouvais en moi avec une vivacité enivrante, proche de celle que pourrait abriter l'esprit d'un imbécile, mais cela ne me gênait pas le moins du monde ; je riais de toutes mes amygdales, des tressautements bienheureux de mon ventre et de ma poitrine ;

*

de nuit comme de jour, je me contentais de laisser s'exprimer les rires, les larmes, les chants, les soupirs, tous les gestes naturels qui étaient revenus dans chacun de mes membres ; un tocsin général du plus profond de ma personne ; mon corps en son entier se mettait à vivre par le mouvement gracieux, le pas dansant, les bras qui tournoient pour un rien, la tête qui oriente l'ondoiement des vertèbres ; une ivresse corporelle me possédait tandis que j'allais à sa rencontre par les mornes et ravines ; et le vent !... — *ho seigneur le vent !...* — j'étais devenu bien plus sensible aux divers souffles du vent ; ils me transportaient, tout autant que si mon corps avait été constitué d'ailes et de plumes frémissantes ; dans les savanes exposées des hauteurs, là où les arbres prenaient des formes sinueuses pour résister au vent, ma marche devenait une chorégraphie aérienne ; cela me transformait en créature légère parmi les nuées de papillons ; je me livrais à de lentes contorsions dans l'unique désir de m'accorder aux impulsions des alizés ; j'imitais le frissonnement des feuilles dans des fluidités de mon torse et de mes membres quand — au débouché d'un promontoire, ou dessous le couvert des arbustes à raisins — je me mettais à me confondre aux circulations virevoltantes du vent ; et le vent, *seigneur le vent !* c'était le vif sensible de cette île ; il était partout, tout à la fois grand voyageur et sédentaire, radical étranger et familier du lieu ; il venait de la mer et du ciel, charriait des inconnus et n'avait jamais peur de se précipiter dans d'autres inconnus; il léchait les arbres, grattait les roches brûlantes, feuilletait la terre jusqu'à la forcer de se poudrer elle-même; il était chargé d'algues, de sel, de vapeur végétale, d'eau de source, et d'une ruée de promesses qui se tenaient au-delà des horizons; il formait un précipité inarrêtable de senteurs qu'il émulsionnait dans un jeu incessant; j'en étais conquis; moi qui jusqu'alors ne l'avais appréhendé que d'un sourcil inquiet, supputant je ne sais quelle tornade ou furie de cyclone, je le recherchais maintenant comme une apparition, menant une intention obscure mais rassemblant l'île dans un frissonnement qui me paraissait une sorte de... poésie; plus que jamais, je songeais à mon petit livre énigmatique; je l'avais toujours identifié comme étant un poème; tout comme lui, ce vent soulevait en moi une vitalité mi-magique mi-candide qui conférait à mes pas, à mes fesses, à mes reins, une conviction de danseur; je dansais, voilà, et j'étais bien content de danser;

*

je vivais cette ivresse tout au long de la journée; le soir, le vent s'apaisait, laissant place à des souffles rampeurs, de petits peuples à nez de fouine qui passaient leur temps à renifler les existences; j'alimentais alors un feu géant, supposé être vu des quatre points de l'île, et je faisais griller quelque viande odorante; ensuite, je dégustais ostensiblement les friandises que j'avais emportées, dans l'espoir que mon Autre allait surgir d'une ombre pour s'asseoir avec moi; il ne venait jamais, mais j'avais parfois le sentiment qu'il était là; tout près; qu'il n'osait pas encore; qu'il ne me faisait pas confiance encore; qu'il fallait lui en laisser le temps; je me disais que c'était sans doute ce qui émanait de moi — quelque chose de désagréable, ou de pas engageant, probablement d'inhumain — qui le tenait à cette sorte de distance;

dès lors, plus que jamais, je m'observai moi-même pour être certain que mes ivresses étaient bien du côté de la joie et du candide; le sérieux hiératique de ces vingt années me paraissait dangereux; j'étais avide d'une légèreté, j'y mettais ce qu'il y avait de plus conforme à ce qui constituait la matière de mon âme; cette attention à moi-même ne me contraignait plus dans aucune ordonnance; elle m'autorisait au contraire à rester libre, libre du temps, libre du maintien, libre de l'ordre et de la raideur, libre de faire ou de ne pas faire, dans une disponibilité qui me portait vers tout et d'abord vers moi-même; je m'efforçais de rayonner d'une nature paisible par laquelle s'exprimait tout ce que je croyais comprendre de l'humanité; et pour ce faire, je réfléchissais beaucoup au grand abîme de ces vingt ans; mes stratégies de survie défilaient une à une sous l'éclairage de ma perception neuve; je les reformulais dans les instances de ma Raison pour bien analyser ce qui s'était produit durant cette solitude; l'île, seigneur, était restée une masse étanche, n'offrant que l'aigu de sa menace ou le vif de telle ou telle utilité; dans mon rapport à elle, je ne trouvais qu'une désespérance diffuse que mon absence-présence de vingt années ne faisait qu'exprimer;

maintenant, là, dans ces soirées méditatives, tandis que la braise faisait dorer une face d'ortolan, *l'île se peuplait autour de moi*; une étrange sensation; non que je percevais plus d'animaux, d'insectes ou de bestioles, mais plutôt *une densité nouvelle* se diffusant dans le moindre interstice jusqu'à l'émulsionner de matière invisible ; cette matière n'était pas seulement constituée de cet Autre vers lequel mon être se tendait, non ; elle était craquante de vents ; elle était explosée en formes, en couleurs et parfums ; une densité que rien ne pouvait situer, mais qui s'imposait à toute ma perception ; seigneur, je croyais vivre un prodige insensé qui ne provenait pas de ma seule exaltation, ni de cet Autre qui se serrait, mais *de l'impact irradiant de l'empreinte*; elle n'avait pas seulement marqué le sable ; elle s'était vraiment fichée en moi, démultipliée dans mes cellules, et m'assaillait d'une marée de possibles-impossibles jusqu'alors insoupçonnables ;

je n'étais plus seul, l'Autre était là, en quelque part ; mes émotions montaient vers lui comme toutes les existences se tournent vers le soleil ; sans doute émotions et sentiments ont-ils besoin pour se maintenir de se heurter à d'autres phénomènes identiques, pas seulement à l'œil glauque d'un bouc ou à la joie que procure une récolte ; aucune frénésie animale ne saurait remplacer un regard, un visage ; l'émotion a besoin du même au même ; elle s'enrichit ainsi ; le sentiment même d'exister naît de ce mouvement ; c'est pourquoi, durant ces vingt années, le sentiment de ma propre existence s'était effacé en moi ; ou devenu intermittent ; c'est sur cette sécheresse que mon rire avait disparu, et l'innocence de mon regard, et sans doute mes envies de danser, de faire le fou, et d'aller aux facéties du vent ; j'avais beau regarder autour de moi, je ne voyais que cette légèreté, ces mouvements, ces joies, ces audaces, ces déraillements, qui empoignaient les vies ; *l'île se peuplait autour de moi ;* toute chose vivante était d'abord émotionnée, légère, frivole, rieuse, dansante et sillonnante ; même les immenses arbres qui couvraient mille lieues de leurs seules frondaisons libéraient des gaietés juvéniles dans le mouvement de leurs feuilles... ;

durant les premières saisons de ces vingt années, le sentiment de ma propre existence ne m'était revenu que dans les instants d'effondrement intime ; sans trop savoir pourquoi, je me mettais à m'apitoyer sur moi-même, gémissant l'opérette, ou pleurant des larmes de désespoir ; dans cette lamentable déroute, je retrouvais comme un contact avec moi-même ; et sans doute ces états me servaient-ils à renouer ce contact car ils revenaient de manière cyclique, presque stable, quasi prévisibles ; au début cela me choquait et j'en étais contrit ; mais je pris l'habitude de les laisser s'ébattre et se dissoudre dans le vide qui m'entourait : il n'y avait rien ni personne pour leur donner du sens ; *ce vide de l'entour avait créé un insidieux creusement dans tout l'intime de moi,* à tel point que je pouvais passer des semaines sans qu'il y ait rien d'autre en moi que ce creux, cette absence ; je regardais ces larmoyances aller-venir depuis un engourdissement intérieur qu'elles combattaient sans doute mais qu'elles renforçaient presque autant ; à force de vivre seul, j'étais devenu d'une sensibilité semblable à un champ de ruines, ballotté facile par la joie funèbre, la tristesse frénétique, la déprime boueuse poussant aux grands travaux, ou par de lentes désespérances durant lesquelles je m'abîmais à lire et à relire mon étrange petit livre... ;

mais là, oui seigneur, l'île ne cessait pas de se manifester en un flux inépuisable d'*apparitions* de tous ordres; d'abord terrifiantes, puis bienheureuses, puis souvent émerveillantes, elles n'en finissaient pas de déclencher mille images en moi, épouvantables parfois, bouleversantes toujours; et ce flot d'images mentales en aspirait des millions d'autres qui surgissaient des arbres, des fleurs, des abeilles, des geckos, de toutes les formes et les non-formes qui m'environnaient; les flux alimentaient les flux; je devins le berger d'un peuple nomade d'images nomades, et tout autant le traqué d'une horde d'images qui m'explosaient le mental;

le ciel se peuplait de rapaces qui ne devaient sans doute pas exister et qui, je pense, n'existeront jamais; l'horizon menait vers moi des reflets de grands ports où des âtres de tanneurs libéraient des huiles malodorantes : je croyais voir des fortifications de villes côtières, parfois des théories de phares qui m'appelaient de mille clignotements...; elles surgissaient tout autant dans les phosphorescences de la mer, si longtemps vides, et qui maintenant se peuplaient de grands vaisseaux fantômes sous des voilures démesurées;

cela n'avait pas de fin : les images s'associaient entre elles, l'île s'associait à d'autres îles, d'autres cayes, d'autres rives, m'emportait dans des archipels mouvants que j'avais dû fréquenter au temps d'une autre vie, anses, criques, culs-de-sac, atolls de coraux roses peuplés de diables noirs, grands deltas bruissant d'oiseaux et de barques étranges, racines errantes qui dérivaient couvertes de mouches dans des nappes de boue...; j'éprouvais le sentiment d'être un tout relié à un tout mystérieux ; et dans cette liaison de toutes choses à toutes choses, je me surprenais en infime créature, mais soudain éclaboussée de riches immensités ;

*

flottant dans cette marée d'images, je ne ressentais plus d'étrangeté en face de cette île et de son impérieuse vitalité ; je n'avais pas non plus la sensation qu'elle déployait à mon encontre une quelconque hostilité ; cette perception n'avait fait que me donner une importance qu'en réalité je n'avais pas ; tout en recherchant l'Autre, j'allais à métamorphose lente, constante, aussi j'avais du mal à distinguer entre mes états de veille et mes sommeils peuplés de rêves ; au fil des saisons, dans ces savanes, ces mornes, ces paysages, quand j'éprouvais le sentiment de n'être plus en face d'apparitions interminables, je me mis à me retrouver, seigneur, comme devant des personnes ; je percevais de très fortes existences qui m'impressionnaient profondément ; le vent était un revenant invisible et bavard ; les vagues devenaient des petites filles rieuses qui s'en venaient semer leur joie dans l'île tout entière ; en face des grands arbres, c'étaient toujours des surgissements de vieillards pétris de sagesse qui s'imposaient à mon esprit ; ils tenaient des assemblées délibérantes qui traitaient du problème de mon humanité ; j'y voyais des mages portant des crosses de verre, des chamans aux longs cheveux tressés, des dignitaires engoncés dans des manteaux de soie et de zibeline ; j'y devinais des spectres d'empereurs qui avaient quitté leur royaume au moment de leur mort, et qui se retrouvaient dans ces fibres végétales... ; en fait, seigneur, je percevais autour de moi tout ce que je mettais dans mon invocation très ardente de l'humain ; l'humain ne fermentait pas seulement en moi mais il éclaboussait des formes minérales, des arbres, des fleurs, certains animaux... au point de me laisser accroire que, durant ces vingt dernières années, j'avais toujours été sans le savoir parmi des espèces d'hommes... ;

*

je voyais la distance qui existait entre moi et tel ou tel vieil arbre, un irréductible qui me forçait à lui trouver une forme humanisante, un aspect peau à son écorce lisse, un air de vieille cuisse à sa branche maîtresse, une allure d'œil à tel nœud de son écorce ; alors, la sympathie s'établissait, et le sentiment d'être en face d'une personne me remplissait de contentement ;

*

je pouvais passer des lunes sans penser à cet Autre que j'étais en train de rechercher ; son existence disparaissait en moi, mais elle était tellement tissée de ces apparitions qui n'arrêtaient pas de me mettre en émoi, qu'à aucun moment je n'avais le sentiment de l'oublier, ou de perdre cette envie impérieuse d'un contact avec lui ; le phénomène le plus enivrant, c'est qu'il donnait de la consistance à toutes les parts de l'île qui n'étaient pas sous mon regard ; il démultipliait mon attention, étalait ma conscience ; dans un trouble d'ubiquité, mes perceptions se superposaient pour conférer à cette île une étrange amplitude ; de fait, elle devenait plus immense, plus puissante que ces vingt dernières années durant lesquelles je m'étais contenté de l'axe unique de mon regard : j'avais à chaque instant conscience d'être plongé au cœur d'une entité qui ne s'arrêtait pas aux rives de ses plages comme je l'avais toujours cru ; l'île se poursuivait sous l'eau, chevauchait les vagues, se mélangeait au ciel et aux nuages, s'étendait au sous-sol des ravines, se déployait dans les boyaux des grottes où j'avais bien souvent enterré mes premières terreurs ; tant d'espaces, tant de profondeurs, tant de perspectives soudaines, qui s'emparaient du moindre de mes regards et l'amplifiaient à l'infini !... et tout cela, sans que je voie jamais cet Autre, ni surprenne son odeur, ni devine son ombre... ;

mais à bien y réfléchir, seigneur, ces perceptions étaient déjà en soi un lieu de la rencontre ; c'était comme si la rencontre avec lui s'était déjà produite ; il était venu vers moi, j'étais allé vers lui ; je l'avais imaginé sous tous les modes possibles, comme lui (s'il m'avait entraperçu) s'efforcerait d'imaginer ce que je pouvais être ; cette libération mentale m'offrait une étendue sensible dont je ne finissais pas de prendre la mesure ; là où je déambulais — que ce soit au bord d'un marécage, sur une pointe de roche crue, au fin fond d'une masse végétale — je dépassais mon seul espace vital pour m'étendre sur dix lieues environ ; ce qui se situait loin (et que je percevais par le biais de bruits, d'odeurs, de divinations troubles) était traité d'une telle sorte par mon esprit qu'il se trouvait plus rapproché de moi que ne l'était l'élément le plus proche ; et ce qui était proche, inscrit dans les filets d'une perception globale, s'éloignait de moi telle une réalité relevant du plus loin ; le proche et le lointain tournoyaient comme cela au fil de mes vigilances; ils se présentaient continûment dessous l'éclat de ma conscience et le tison des imaginations; ainsi, j'étais précipité dans une profondeur et dans une étendue que seuls devaient connaître, je crois, les grands guerriers-chasseurs, ou les grands prédateurs, qui tous faisaient corps avec la chose vivante qu'était toute nature; je me surpris en animal, oreilles dressées, narines au vent, humant sans cesse, palpant les écorces, tâtant le grain des feuilles, m'accroupissant au bord d'un caca insolite, attentif à l'inquiétude des moucherons ou des rats-piloris, sursautant de désir au moindre craquement, et pouvant demeurer immobile quand une nappe de silence s'établissait autour de moi, et que j'en recherchais l'origine avant d'aller plus loin; puis je me mettais à avancer pas à pas, zieutant à gauche, zieutant à droite, me retournant soudain, ou bondissant sur plusieurs mètres dans le but de surprendre, loin au-devant de moi, un bloc de réalité neuve auquel une avancée normale aurait laissé le temps de se décomposer;

*

dans le piège de cette île, j'avais toujours perçu de l'hostilité compacte, des caches pour démons, des pièges remplis de bêtes fauves et de plantes carnivores; là, maintenant, je croyais découvrir... un jardin démesuré... cultivé par une entité dont je ne comprenais ni la logique ni l'intention; une entité qui n'était ni dans le bien, ni dans le juste ou dans le mal, mais dans l'empire d'une puissance sans limites; *et ce jardin n'était à personne, il n'était pour personne;* il élaborait juste un agencement de propriétés sensibles, d'aptitudes singulières, qui s'organisaient dans d'infinies modalités — de la violence

111

antagoniste la plus extrême à l'association la plus étroite et la plus innocente; j'éprouvais quelquefois la sensation d'être absorbé par tout cela, que chacun de mes sens et de mes actes s'y intégrait à mon insu; en d'autres moments, je m'en croyais éjecté, et ressentais l'urgence d'agir pour y trouver ma place; mais la sensation la plus désagréable fut d'admettre que... *je n'étais au centre de rien*; que rien ne venait vers moi ni n'aboutissait à moi; que tout se décomposait et se recomposait avec moi ou sans moi, à mesure que j'avançais, traversais, et que je m'éloignais...;

nulle part je ne décelais la moindre solitude; ces végétaux, ces roches et ces bestioles menaient commerce entre eux, dans un bouillonnement d'échanges impossibles à identifier, et encore moins à dénombrer, qui se tenait tout entier dans une masse et dans une énergie, dans une densité pleine et dans une onde fugace...;

et les choses empirèrent, seigneur; une fièvre animiste me fit accroire que les apparences ne comptaient plus, qu'elles étaient interchangeables; que dans des contractions de temps, d'espaces, de perceptions, on passait de l'une à l'autre dans une continuité d'existences; ainsi, chaque existence était le tout et en même temps n'importe quel élément de ce tout; ainsi, chaque mort était le lieu exact d'une renaissance qui nourrissait le tout; ainsi, le tout n'était que l'intensité la plus vive de l'infini des variétés et des diversités; ainsi, il y eut des moments où je devins une fougère; d'autres durant lesquels, sans aucun désespoir, je me réalisai fourmi à charroyer des découpes de feuilles; d'autres encore où je me retrouvai en serpent gobeur d'œufs, où je fus emporté dans des essaims d'abeilles ou de quiscales braillards, où je me mis à végéter sur place à l'instar de ces gros champignons qui vivent de leur fermentation...; j'étais alors en proximité incroyable avec l'île tout entière; dans la tourmente de sommeils agités, *j'allais même jusqu'à devenir l'île*; je me retrouvais assailli par de grands océans; je sentais le fracas des vagues dans mes voûtes ronflantes; ou la lèche tranquille de leur écume sur mes pentes adoucies par le sable; ou leurs coups de boutoir sur mes flancs de falaise... mais jamais je ne connus la crainte d'en être submergé : je percevais dans le même temps la patience minutieuse des racines, de la terre, des bestioles, des alliances végétales, des associations de soleil et de vent qui me constituaient une masse corporelle sans limites; dans ces intermittences entre veilles et sommeils, je flottais dans une horizontale plénitude avec les existences...;

j'en rapportai une sérénité belle, emplie d'humilité; j'avais pour la première fois depuis des décennies le sentiment de ne pas être échoué dans une prison, perdu et oublié de tous; ce que je voyais faisait partie de moi comme dans un prolongement de ma peau, une conséquence des battements de mon cœur; cela ne s'arrêtait jamais, même au repos (sur mon grabat de feuilles, où sur mon branle tendu entre deux branches basses) quand mes imaginations nocturnes se mettaient à la fièvre; le noir avait tout envahi, mais les images déboulaient par de brusques clartés dans tous les coins de mon esprit; je ne cherchais plus à me libérer de cette île; au contraire : je m'y installais, je m'y étalais, je m'y ouvrais sans la moindre pudeur, tel un chaton dessous un jeune soleil; cela me transmettait un sentiment de liberté inouïe, et de force surtout; une force que je percevais tellement saine que je l'utilisais pour m'étendre encore plus, et forcer mon mental à briser son carcan; plus que jamais des images s'ouvraient en des vues saisissantes, s'élargissaient jusqu'à devenir des visions enivrantes...; il me faut vous parler des images, seigneur...

les premières images de ma vie de reclus avaient été rapportées de la frégate; je les avais trouvées dans un coffre tellement bien fait, de proportions si justes et de ferrures tellement bien ajustées, que l'eau et le sel n'y étaient pas entrés; je l'avais déposé dans un coin de caverne pendant quelques saisons, avant de l'ouvrir un jour, et de découvrir un matériel de copiste, plumes et encre (qui me serviraient deux-trois saisons pour les écrits et les pancartes), mais aussi des bouts de parchemin sur lesquels des enluminures reproduisaient des paysages : *châteaux, champs de blé, églises, Vierge Marie, Christ, ponts, moulins, fleuves et rivières, troupeaux, dames et messieurs, cavaliers et bateaux, Lancelots et rois Arthur, métayers, cyclopes, harpies...* un vrac de représentations qui servaient de modèles aux copistes pour ornementer de gros livres savants; j'avais passé bien des ans à m'imprégner de ces images, à tel point qu'elles avaient fini par devenir le monde que je pensais avoir perdu; je m'étais imaginé mes ancêtres à l'ombre de ces châteaux, dans le tournis de ces moulins, et travaillant et cet orge et ce blé; cette profusion d'images dans tant de solitude avait tatoué le fond de mon esprit; je les avais concrétisées autour de moi, construisant des ponts, imitant des moulins, taillant mes ajoupas à la manière de vieux manoirs...; maintenant, ces images fondatrices me revenaient en force durant ces nuits de veille; puis elles se troublèrent, s'en allèrent en dérive, comme déformées par l'étrange perception que j'avais développée dans mes périples vers l'Autre...

... les moulins se mirent à naviguer... les châteaux devinrent évanescents dans des fioritures orientales et des placages d'or fin... les gravures de charmants villages devinrent des villes de sel... de gentils pâturages muèrent en déserts de marbre jaune... des chemins de grosses pierres furent soudain scintillants d'une rosée de cristal... des navires arborèrent des voilures en peau de requin blanc, déployées sur des lunes rougeâtres... des parchemins se réfugiaient dans des jarres bleutées, et des livres de cuir étaient portés à dos de nain dans les travées d'une vaste bibliothèque posée au cœur d'un triangle de grands phares... dans le moindre des pictogrammes où figuraient des êtres humains, je vis des peuples d'hommes, tellement nombreux qu'ils débordaient les essaims de moucherons... ils allaient se mélanger aux insectes nocturnes qui assaillaient mon feu, ou à ces cortèges de fourmis qui me prenaient d'assaut pour découper mes peaux de bêtes... chaque nuit, icônes, images et pictogrammes en tête, je vivais ces voyages immobiles...

pour vivre de tels délires, j'avais sans doute beaucoup parlé avec de vieux marins, de ces errants qui avaient tant vu de paysages qu'ils en avaient gardé les pupilles blanchies et la paupière tremblante ; ces pays et paysages persistaient en eux, sans parvenir à constituer un ensemble cohérent ; les déserts noyaient les mares ; les herbes envahissaient des villes ; des villes flottaient dans des ciels d'orage, et bien des navires se retrouvaient

fichés sur des pitons ou dans des blocs de glace ; des bao-
babs exhibaient des feuillages de chêne et des cactus
allaient chargés de dattes, de poires, de mangues ou de
mandarines... ; dessous un tel charivari, leurs yeux lou-
chaient vers le coin des paupières et leur regard demeurait trouble, comme encombré de souvenirs antago-
nistes et bourrés d'émotions impossibles à confondre... ;
je n'avais jamais compris ce phénomène ; certains
hommes sont sans doute faits pour ne garder en eux
que les paysages de leur enfance ; ce charivari d'images
qui m'assaillait maintenant me rappelait ce drame infor-
mulé, si bien, seigneur, que je craignis de voir pâlir le
noir de mes pupilles et de loucher à tout jamais vers la
pointe de mes cils... ;

au début, quelque peu sidéré, je regardai ce monde
d'images s'émulsionner en moi comme une chose étrangère ; puis je parvins à le laisser vivre ; puis à lui projeter
mes émotions, mes rires, mes envies de telle ou telle
saveur, et des bouts de poèmes de l'étrange petit livre
que j'avais en mémoire ; mes projections agissaient
comme un souffle sur des braises ; ce monde de chimères
tremblait, fuyait et se recomposait ; je l'amplifiais à ma
guise, le défaisais au fil de mes cauchemars, sur la scène
de mes longues insomnies ; il obéissait à mes lubies avec
docilité ; seulement, ce qui se produisait dessus le mur
de mes sommeils était imprévisible et toujours improbable : villes d'argile bleue peuplées de marchands aux
pieds nus... navires de pierre qui voguaient sur d'immenses livres ouverts que brandissaient des hommes à
longue barbe blanche... peuples d'aigles qui charriaient
des colonnes de temple à la demande d'une confrérie
de prêtres... touffes de vieux bambous semblables à

des bonzes ambulants dans des contrées brumeuses de jonques et de rizières... ; tout cela n'avait aucun sens mais disposait d'une vertu : je me sentais partie prenante de ces êtres vivants ; malgré leurs étrangetés, j'étais le frère de chacune de ces existences ; j'étais en elles ; elles naviguaient en moi ; je me répandais en leur compagnie dans un espace désirant qui n'avait plus d'assise, qui n'avait plus de frontières... ;

mais au bout d'une de ces nuits agitées, je me rendis compte que l'Autre, bien qu'il fût introuvable, se retrouvait dans la moindre de ces formes insensées ; je réalisai qu'elles ne provenaient pas de moi : que lui les suscitait ; c'est lui que j'envisageais dans ces flots de chimères ; tout ce vivant, toutes ces humanités, c'était lui ; je tendais vers lui en l'imaginant de moult manières possibles, sans limites de formes et sans clôture d'espace ;

*

un jour, je débouchai sans m'y attendre sur une plage insolite ; dépourvue de sable, couverte de grosses pierres, avec juste comme repères familiers le ressac des vagues et les jeux de l'écume ; m'approchant de quelques pas, je me pâmai de surprise : la plage était envahie par des tortues marines ; il y en avait tant que plus un grain de sable n'était visible sur cette anse retirée ; impossible de déterminer ce qu'elles y pratiquaient — si elles pondaient de manière démentielle ou se livraient à des accouplements collectifs monstrueux... ; sans doute étaient-elles victimes d'un obscur envoûtement : elles étaient simplement là, lentes, frémissantes, passionnées, se déplaçant par millimètres, montant et remontant, se chevauchant sans cesse, dans une frénésie à moitié immobile qui n'arrêtait pas de me confondre ; les plages arpentées jusqu'alors ne laissaient découvrir que deux ou trois tortues ; elles y venaient de nuit, pondaient et s'en allaient dans les lueurs de l'aube ; de telles concentrations n'étaient jamais visibles, et encore moins en plein soleil... ;

je passai des jours à observer ces animaux ; leurs carapaces larges comme des lunes exhibaient de petites stèles de texture millénaire que recouvraient parfois des grappes d'huîtres et de coquillages secs ; leur tête n'avait pas d'âge ; leurs yeux, noyés d'un jus de sel, semblaient du verre usé ; dans mes premières années, j'avais beaucoup dégusté de tortues ; leur chair me rappelait celle du cheval que l'on mange sur les côtes salinières ; le mieux était de les cuire à l'étouffade, avec quelques herbes odorantes ; quant à leurs œufs, c'étaient de vraies délices et des sources de grande force ; sur le coup, j'eus l'envie d'en tuer une et d'en faire un festin dont le fumet aurait attiré l'Autre vers moi, mais je restai immobile à contempler le phénomène ; une arrière-pensée me disait que si l'Autre avait lui aussi découvert ce prodigieux spectacle, il ne pouvait être bien loin ; je l'imaginais planqué dans une broussaille, fasciné comme moi par cette masse d'existences qui œuvraient à un sacré mystère ; des oiseaux sortaient des horizons pour s'ébattre entre les carapaces, sautiller sur des têtes, picorer des écailles ; une prolifération de crabes rouges faisaient de même, arborant de gros mordants jaunâtres qu'ils présentaient au ciel comme autant de violons ; à cela s'ajoutaient des et-caetera de bestioles dont l'excitation imprégnait l'ensemble d'un frémissement diffus ;

tout cela produisait un organisme qui remplaçait la plage elle-même, aspirait le ressac de la houle et l'assaut de l'écume ; sans trop comprendre pourquoi, j'enlevai les peaux qui me couvraient l'épaule, gardant juste un bout de ce cuir mol que je nouais d'habitude alentour de ma taille et dans mon entrejambe ; puis, je me glissai, comme les oiseaux et comme les crabes, dans l'enchevêtrement des carapaces... ;

les bestioles s'égaillaient à mon approche, mais les tortues m'ignoraient complètement ; je m'enhardis bientôt, et me mis à les escalader, me contorsionnant comme un mollusque, épousant les bosses, rondeurs et creux, et avançant entre elles, sur elles, avec elles, avide d'une telle proximité avec ces créatures insondables ; je fis l'expérience de m'arrêter au milieu d'elles, et de ne plus bouger, et de voir comment cet organisme à mille têtes, mille becs et mille yeux tristes se mettait à m'escalader lentement, tout comme chacun de ses éléments s'escaladait l'un l'autre... ; je vis passer des pattes puissantes, des ventres d'écailles jaunâtres ; des têtes se glissèrent sous mon cou, et des pupilles me fixèrent sans me voir ; à la longue, je m'appliquai à les zieuter de la même manière ; mon dos dut sans doute s'arrondir et se couvrir d'écailles... ; je faisais ventouse de tout mon corps sur chacune des tortues, éprouvant alors une curieuse sensation, vraiment charnelle, qui se répandait sur ma peau, en frissons, et repeuplait mon ventre de lancinements perdus... ; mon sexe dut se dresser, éclater en saccades, se défaire, et je me mis à les lécher, ce qui me remplit d'une saveur d'algues, de sel décomposé et de coquillages morts... ; je fus bientôt couvert de leurs larmes et de leur bave gluante, au point d'en étouffer, ce qui me força au dégagement rapide pour aller m'esbaudir dans les vagues...;

heureux sans raison, je contemplai le phénomène; il devenait encore plus mystérieux du fait même de ce que j'avais éprouvé en m'y introduisant; je m'imaginais que l'Autre avait vu mon manège; qu'il avait sans doute dû me prendre pour un fou; cette éventualité ne m'emplit d'aucune honte; j'en étais même plutôt content; cela le rapprochait de moi, tout comme je m'étais rapproché confusément de lui en me collant à ces tortues...; les serrer, les toucher, avait été comme le serrer lui, le toucher lui...;

j'aurais pu y passer le reste de ma vie tellement le spectacle était fascinant, mais je compris que le temps de ces tortues n'était pas le mien; ce qu'elles faisaient-là relevait d'une infinie lenteur, d'une boucle d'éternité impossible à comprendre et qui aurait pu m'avaler tout entier si j'avais voulu y surprendre quelque signification ou un quelconque aboutissement...; je repartis vers ces pitons qui se dressaient au-dessus des raisiniers; en lui tournant le dos, j'eus l'impulsion de nommer cette plage — je pensai à : « plage des tortues éternelles » — mais je me tus, effaçai l'appellation de mon esprit, me forçant ainsi à conserver cette rencontre dans sa pure sauvagerie...;

*

cela devait être la journée des coups au cœur; j'avais à peine passé les raisiniers, abordé une savane d'herbes-piquants, odorante comme piments et constellée de pompons rouges, que je me vis assailli par une nuée de quiscales ; noirs et luisants comme des diables, ces oiseaux cherchaient à me crever les yeux ; je résistai à l'impulsion de leur tirer des coups de semonce ; j'arrivais à la fin de mes réserves de poudre, et les plombs étaient rares — si rares que je les avais remplacés par des éclats de coquillages ; les diables ailés me poursuivirent sur plusieurs lieues, comme pour m'expulser d'un royaume interdit ; ce phénomène m'intrigua tant que dare-dare je revins sur mes pas, en prenant soin d'opérer un grand cercle protecteur ; j'abordai cette savane de biais, en sorte de pouvoir l'examiner à mon aise avec ma longue-vue ; ses arbustes épineux étaient bourrés de nids ; ils étaient enchevêtrés aux ramures sèches et aux grandes épines ; des fibres semblables à des toiles d'araignées les tissaient aux feuilles de manière si étroite que le vent ne parvenait plus à rien faire frissonner ; et ces nids étaient peuplés de petites existences affamées, de toutes espèces, qu'un nuage de quiscales et de douze sortes d'oiseaux alimentait indifféremment dans un va-et-vient incessant ; une immense couveuse collective se trouvait-là devant moi, telle une forteresse inviolable ; les volatiles-gardiens traquaient les rats, les chats, les serpents... mais aussi les lièvres-sable, les renards-pommes, les loups-à-courtes-pattes — tous ces prédateurs inconnus que j'avais, du fait de quelque vague ressemblance, et en vertu de mon pouvoir discrétionnaire, affublés de ces titres ; le lieu demeurait sous vigilance extrême ; rien ne pouvait y entrer ; le moindre mouvement à ses frontières déclenchait un concert de huées et de battements d'ailes qui foudroyaient l'espace... ; là-aussi, je fus saisi de contemplation ; longtemps, sans impatience aucune... ; sans doute espérais-je au profond de mon âme que cette alarme systématique parvienne tôt ou tard à me dévoiler l'Autre, cet invisible ; je priais le ciel pour que sa progression finisse par le conduire en plein dans cet endroit... ;

ce n'était pas la première fois que je me faisais attaquer par des oiseaux ; lors de ma première récolte de blé, des multitudes de volatiles et sept espèces de rats avaient accouru alentour de mon champ ; alléchés par les épis en bonne maturité, ils avaient dans un curieux concert établi une sorte de siège ; tous avaient campé-là, de jour, de nuit, sous la pluie, sous les vents, se battant pour chiper des grains à la moindre occasion ; j'avais dû les mitrailler à maintes reprises, utiliser même une bombarde à pierrailles ; en désespoir de cause, et dans le souci de préserver mes munitions, j'avais dressé une cohorte d'épouvantails cliquetants qui étaient parvenus à contenir les plus impressionnables ; ils s'étaient installés tout autour, avec niches, nids et bagages ; cela avait été une guérilla pour récolter quelques calebasses de blé — j'utilisais alors une faucille forgée dans un sabre de pirate — avant qu'ils n'engloutissent le tout ; l'hostilité de cette île s'était concentrée dans la furie de ces oiseaux et de ces rats ; ils attaquaient ensemble, l'un profitant de l'audace des autres ; par la suite, j'avais pris la précaution de démultiplier mes champs, en sorte d'éviter de telles concentrations, si bien que, malgré les pertes innombrables causées par ces bestioles, j'en avais conservé toujours assez pour disposer au gré des saisons d'un bon pain chaud, ou de galettes cuites mises à croustiller dans un four en argile... ; là, aux aguets, attendant que mon Autre ait la bonne idée de se prendre dans ce piège, je sursautais à chaque alarme, avide de le

découvrir enfin sous une nuée de bestioles enragées... ;
durant les semaines où je fus planté-là, mille qualités de
créatures furent assaillies par les quiscales... mais pas
lui... jamais lui ;

*

poursuivant mes recherches, j'avais entamé une pente
abrupte, de celles qui mènent aux grands pitons ; ce
sont des endroits très plaisants, dépourvus de mous-
tiques et de ces chaleurs qui occasionnent les fièvres ;
j'y trouvais des catégories de framboises, et des baies
savoureuses que je gobais infiniment ; des prunes vio-
lines y levaient en pagaille, plus petites que les prunes
que j'avais pu connaître ; elles bleuissaient la langue, gla-
çaient les dents et laissaient aux papilles un goût de
térébinthe ; une fois repérée leur saison, j'avais écumé
ces endroits de manière régulière ; cette fois encore, je
me réjouissais à l'idée des framboises et tentais de me
convaincre que l'Autre avait dû les découvrir, et qu'il s'y
attardait sans aucune vigilance ; je m'apprêtais donc à
le surprendre dans ses agapes, à les partager avec lui,
quand je butai sur l'incroyable : *une petite rizière, frissonnante sous la caresse des alizés...* ; elle avait surgi dans les
eaux qui suintaient du piton et que la roche retenait
dans des cuvettes remplies d'humus ; je mis du temps
à comprendre ce prodige, jusqu'à me souvenir qu'un
jour, poursuivi par des cochons sauvages, j'avais dévalé
cette pente, les quatre fers par-devant, et fracassé
quelques-unes des calebasses qui pendaient à ma taille ;
ces petits récipients de voyage constituaient mes réserves
de ces semences et plantules que j'avais rapportées de
la frégate ; dans cette chute, j'avais dispersé un demi-

123

picotin de grains de riz, sans doute destinés à une zone mieux propice à l'autre bout de l'île ; j'avais eu beau me traîner à plat ventre, scruter les mousses, sonder les failles, chercher grain après grain, je n'avais pu en récupérer qu'une pincée dérisoire que jamais je ne parvins à faire fructifier ; cet accident était sorti de mon esprit ; donc, ce jour en question, je découvris cette levée de riz, bien verte, florissante, gorgée d'eau, craquante de santé ; elle s'était adaptée à l'altitude moyenne, à cet humus mêlé de cendres volcaniques, et aux circulations incessantes de l'eau ; elle était là, tel un mirage ;

je reçus cette découverte comme un clin d'œil que l'île tout entière tenait à m'adresser ; je me demandais combien de surprises elle avait disposées ainsi dans mon sillage, et cela toujours à mon insu ; avec les vestiges de ce monde qui venait du bateau, et que je célébrais dans ma tête comme une arche de Noé, je l'avais sans aucun doute fécondée de bien des manières, dans mes maladresses et dans mes accidents ; je pleurai sur ce champ de riz incongru ; là-encore, comme si c'était mon corps qui désormais réglait ma perception, j'allongeai ma nudité parmi les petites pousses, les caressant, les décomptant, les scrutant une à une ; je me plus à les imaginer achevées, mûrissantes, charriées dans mes paniers d'osier, dégagées de leur paille, et je salivai à l'idée de retrouver bientôt le goût d'une galette de riz... ; tandis que je me frottais aux petites pousses, une sensation trouble me parcourait la peau, de frisson en frisson ; elle éveillait mon corps d'une sorte que j'avais oubliée ; j'aurais été fier que l'Autre, mon invisible, surgisse à cet instant, qu'il me voie là, célébrant l'involontaire fécondation, cette œuvre parfaite dépourvue d'intention... ;

de penser à lui, dans ce miracle de la rizière, amplifia chaque angle de mon regard, chaque clignotement de ma conscience ; j'étais tout entier à l'examen de ce nouveau prodige ; mon corps, mon regard, mes pensées, mon esprit connurent une fusion pas ordinaire, *une muette clairvoyance*; je ne babillais plus dans ma tête ; j'étais présent dans le présent, avec une telle acuité que j'imaginais ces graines perdues, esseulées, se débattant dans les mousses et l'humus, aspirant ces eaux étrangères, ouvrant leurs alchimies à de bizarres hostilités, expérimentant une avant-garde germinante, et s'élevant avec mille précautions pour se raffermir à la moindre occasion ; je voyais aussi les mouvements de la sève capturant le soleil, le déploiement des fibres et des matrices, et jusqu'au grain lui-même sur lequel se dessinaient pour moi galettes bien chaudes et boulettes savoureuses, mélangées au jus de canne-à-sucre et aux crèmes du coco ; *j'étais vivant parmi ces pousses vivantes;* cet état me troublait tant que des corps de femmes m'envahirent l'esprit, mélangés aux écales de tortues, aux nuées de quiscales, à la mousse qui veloutait le tronc des arbres phénoménaux ; des coups de cœur, des lèvres, des seins, et des regards, et des vulves, relents de chair intimes... ; au moment de me relever, j'étais plus que jamais assoiffé, affamé, écorché, en un total besoin de tout ; je me relançai à grands pas dans ma quête de cet Autre invisible ; j'allais comme cela, ivre, aérien, trébuchant, maladroit et agile, comme en état d'amour mais sans objet d'amour, avec juste cet éveil que nous procure l'amour ; j'étais éjecté de moi-même, seigneur, tout imaginant de désir et de désir-imaginant... ;

125

*

je ménageais d'autant moins mes efforts que je ne les ressentais en aucune manière ; après être passé et repassé aux mêmes endroits, et bien qu'à chaque passage je n'en finisse pas d'éprouver des surprises, je compris avoir opéré quatre ou cinq fois le tour de l'île ; elle n'était pas si grande que cela même si à chaque pas ma perception m'ouvrait à des immensités ; je résolus d'initier une nouvelle recherche, focalisée cette fois sur des sites susceptibles d'offrir à mon Autre invisible d'agréables refuges ; je fis donc le tour des cavernes connues, j'en dénichai d'autres, et visitai dans le même temps celles où j'avais stocké des provisions de guerre ; toutes étaient accueillantes, toujours fraîches, offrant des atmosphères d'églises ; dans l'une d'elles, je découvris une extraordinaire colonie de rats-volants ; ils avaient envahi l'endroit depuis des millénaires ; le sol était couvert de leurs crottes fabuleuses, et leurs pisses dégageaient un remugle qui m'asphyxia d'un coup ; je tombai cul pour tête, et dus ramper vingt-cinq coudées avant de pouvoir prendre mes jambes à mon cou... ;

dans une autre, je retrouvai une source souterraine qui au tout début m'avait comme enchanté ; j'avais envisagé d'en faire un hammam, avec l'idée d'y venir dans mes villégiatures prendre des bains, respirer des parfums, méditer sur l'étrange petit livre... ; j'y avais entreposé quelques bambous mis à sécher sur un socle de galets, en sorte de construire par la suite un grabat confortable, et des clayettes sur lesquelles disposer quelques chandelles de gomme ; mais des urgences m'avaient enlevé à ce projet et je n'y étais pas revenu depuis de longues années ; les bambous étaient toujours-là, desséchés à souhait ; la source glougloutait au fin fond de la grotte, dans une faille de roche noire où se voyaient des jaunissures de soufre ; autour, une argile luisante comblait les interstices, et donnait vie à des mousses blanchâtres capables d'endurer sans beaucoup de lumière ; l'entrée de la grotte était un trou étroit ; les rayons du soleil s'y glissaient à grand-peine pour n'être plus qu'une clarté irréelle ; le plafond témoignait d'effondrements constants, mais il semblait solide dans son ensemble de pierres soudées entre elles par des racines ; ces dernières expédiaient vers le sol des radicelles qui striaient les parois de veinures translucides ; j'explorai ses encoignures et ses boyaux : mon Autre n'y était pas ; malgré tout, je m'immobilisai longtemps dans cet endroit ; la pénombre m'apaisait, et apaisait ces flots d'images qui me noyaient l'esprit ; je dus m'endormir... pour être réveillé par la sensation d'être frôlé ; je pensai immédiatement à l'Autre... en une fulgurance, je le vis se faufiler en silence dans la grotte... me découvrir... s'agenouiller auprès de moi... souriant ... et me toucher le bras afin de me réveiller... ; je bondis sur mes pieds dans un mélange de terreur et d'envie, pour ne découvrir... que des tortues de terre... existences vénérables, cahotant sans émoi vers la source... ;

les tortues de terre étaient nombreuses sur l'île ; j'en avais adopté quelques-unes ; j'aimais leur ralenti, leur manière de vivre sans désir impérieux ni quelque envie pressante ; elles faisaient tout à leur seul rythme ; si les choses s'accéléraient autour, elles rentraient la tête, fermaient les écoutilles, et attendaient que l'orage passe ; j'en avais bousculé plusieurs, forcé à dévaler des pentes, lapidé à coups de coquillages ; selon le traumatisme, elles demeuraient immobiles plus ou moins longtemps, jouant les mortes jusqu'à se faire oublier ; puis on s'apercevait qu'elles avaient disparu ; sans doute avais-je eu ma crise-tortue-de-terre, allant à la lenteur, contredisant le temps, veillant à le défaire, m'enfermant dans une immobilité intérieure pour laisser aux secours dont j'avais grand espoir la possibilité de remplir l'horizon et de m'acheminer l'assistance désirée ; comme je ne pouvais quitter l'île, ni me résigner à y connaître la mort, il n'y avait que le temps qui me soit accessible, lui seul qu'il m'était possible de ralentir ou de stopper... ; dans mes magies contre le temps, je m'étais fait tortue de terre... ; et donc, ce fut pour moi un signe de les retrouver-là, au moment même où jamais je n'avais été aussi éloigné d'elles ; j'étais bouillonnant d'énergie, de vitesse et de force, impatient de dénicher cet Autre et de vivre enfin un retour à l'Humain ; elles, en revanche, trottinant vers l'eau fraîche, avec sans doute tout autant d'appétit, y allaient sans émoi, dans une résolution impassible et sereine ; par elles, ces vieilles tortues de terre, cheminant pas à pas vers le chant de la source, c'est l'île qui venait à mon aide, seigneur : *elle me rappelait le chiffre de la patience et la beauté de la lenteur...* ;

*

c'est dans la dernière de mes grottes que je crus le trouver ; elle était située en bordure du rivage, dans un ancien lit de rivière où levaient des arbustes effeuillés par le vent et qui cherchaient leur subsistance dans la rocaille sableuse ; la grotte s'ouvrait au flanc d'un morne, telle une blessure béante dont les herbes à

128

piquants auraient guéri les lèvres ; dans le temps, je l'avais découverte sans effort car elle était visible de la plage ; j'y avais stocké deux mousquets, de la poudre, deux-trois plombs, des fruits séchés que je ne retrouvai d'ailleurs pas, sans doute emportés par les bestioles du coin ; j'accédais à ces lieux avec toujours l'excitation de découvrir une trace de moi, comme si, témoignant de mes activités premières, elles me permettaient de présenter un moi-ancien à celui que j'étais devenu ; la grotte était lumineuse, parsemée de taches d'ombre qui signalaient des boyaux plus profonds ; dès l'entrée, je sentis quelque chose ; tout au fond ; immobile ; j'appelai : *Qui est là ! ? C'est vous qui êtes-là, mon compère ?... Paix, paix, ami, ami...* ; comme il restait silencieux, je présumai sa crainte, et entrepris de l'apaiser ; je lui dis mon nom ; je lui dis depuis combien de temps je vivais sur cette île ; au cas où il ne comprendrait pas mon langage, je prenais des inflexions douces, amicales, bienveillantes, et je gardais les paumes offertes ; je voulus lui raconter la découverte de son empreinte, et ces nombreuses saisons passées à sa recherche, mais je me tus bien vite, et me contentai d'avancer de la manière la plus normale possible, espérant ainsi désamorcer tout pugilat ; il bougea dans la pénombre, dérivant sur la gauche ; quand je m'orientai vers la gauche, il se déplaça lourdement vers la droite ; je le crus souffrant, sans doute blessé, et compris soudain pourquoi cela avait été si difficile de le retrouver ; poursuivi par ses frères cannibales, il avait échoué sur l'île au dos de quelque esquif ; il s'était alors précipité dans ce refuge pour se cacher et soigner ses blessures ; elles devaient être profondes pour qu'il y reste aussi longtemps et qu'il soit aussi faible ; mon arsenal de médicaments, amassé durant ces longues années, se déroula dans mon esprit; j'avais des pâtes de feuilles pour les fractures ouvertes; des baumes de miel pour les brûlures; des sirops de betterave contre les flux de poitrine; des décoctions de rhum, de tabac et de citron, souveraines pour les cicatrisations; j'avais des toniques pour le sang, de quoi soigner les gales et les grattèles; et une série d'onguents récupérés dans la frégate, qui avaient dû appartenir au chirurgien de bord; avec leurs étiquettes délavées, ces fioles étaient restées de vrais mystères quant à leurs vertus et usages; quelquefois, au hasard, j'en avais étalé sur des plaies, ou goûté à l'occasion d'une fièvre, mais avec tant de parcimonie que cela n'avait jamais donné grand-chose; néanmoins, je me sentais capable de remettre n'importe quoi sur pied; je commençais à le lui expliquer quand j'entendis le gémissement; cela n'avait rien d'humain, seigneur; quelque chose de douloureux se déchira dans mon esprit; je bondis sur la chose comme pour conjurer le malheur — mais le malheur était bien là : ce n'était pas lui, mais un vieux lamantin; l'animal s'était sans doute traîné-là pour mourir; il était tout en os, et flasque d'un trop de vieillesse, et peut-être d'un début d'extinction de l'espèce; sa peau était mangée par une lèpre inconnue, et son regard n'était que mornes supplications; elles s'éteignirent d'un coup quand je lui brisai la nuque; et je m'enfuis de cette caverne...;

*

au bout de chaque déception, la certitude qu'il était là, tout devant, à côté, pas très loin, me remettait d'aplomb; je m'arrêtais dans des anses qui s'imposaient d'emblée comme des havres de paix; c'étaient des reculs de

falaises que le sable avait comblés et que la mer avait
fécondés d'une variété de plantes ; ces anses retirées, dif-
ficiles d'accès, étaient très poissonneuses ; des mulets
blancs et d'énormes crabes plats y sommeillaient dessous l'écume ; des bancs de carpes multicolores y pullu-
laient au bord même du rivage ; dans ce genre d'endroits, j'avais pêché au fusil, jusqu'à ce que je me mette
à rationner mes plombs ; par la suite, je m'étais confec-
tionné une série d'hameçons dans des clous de frégate ;
j'en avais toujours quelques-uns dans mes soutes de
voyage ; je les armais au bout d'une ficelle tressée, très
fine et résistante, et je pêchais en y crochetant la chair
des coquillages qui se collaient aux cayes ; ce jour-là,
j'avais à peine balancé mon appât que je sentis une
secousse terrible ; je devinai ce que c'était : un de ces
serpents-poissons, gluants, à mâchoires d'acier, qui cam-
paient dans les roches pour surprendre les poulpes ;
c'était désolant qu'une bestiole pareille se prenne à
mon appât ; elles n'étaient jamais faciles à ramener ; leur
corps est un muscle qui s'enroule dans les cayes, et elles
s'arc-boutent à mort, si bien qu'il est impossible de les
ramener, sauf si l'hameçon leur provoque une noyade ;
je luttai avec elle durant je ne sais combien de temps ; la
nuit tombait déjà quand sa résistance cessa d'un coup,
sans doute foudroyée par une explosion de son cœur ; je
ramenai alors un poisson-boa, gluant, tacheté, verdâtre,
bien plus large que mon bras, et de près de deux mètres ;
un véritable monstre qui devait vivre-là depuis des millénaires ; je le nettoyai vite car la nuit avançait ; sur un feu
de brindilles d'amandier, j'en fis griller de longs tron-
çons ; sa chair était blanche, fine, d'une saveur exquise,
entre le lapin et la volaille ; je l'agrémentai de quelques
épices sèches sorties de mes calebasses, et la dégustai en

pensant à cet Autre aux aguets dans un coin quelque part ; je lui hurlai aux quatre vents qu'il avait tort et que c'était un festin ; et je souriais, même riais, en distribuant les restes aux crabes, et en m'installant sur une livrée de feuilles, après avoir bu une gorgée de ce rhum dont j'avais grand usage pour affronter l'assaut de mes images mentales et de mes sensations ;

*

au devant-jour, quand je repris la route, mes pas étaient plus lents ; quelque chose avait changé ; je ne cherchais plus mon Autre avec la même fièvre ; l'envie de le trouver était toujours aussi puissante, mon esprit toujours bien désirant, mais je le faisais avec une... retenue ; comme par crainte que cette recherche s'épuise et que je sois forcé d'admettre qu'il était introuvable... et qu'il le resterait à tout jamais ;

durant certaines affres, j'imaginais qu'il avait juste débarqué, et rembarqué quelques instants après, ne laissant que cette empreinte pointée vers l'intérieur ; mais je dissipais ce désespoir en me persuadant qu'il était là, qu'il était naufragé, qu'une souche l'avait amené comme j'avais vu bien des souches surgir de l'océan chargées de plein de bestioles qui s'en venaient de loin ; une fois même, j'avais vu débarquer, d'un débris mené par le courant, un petit singe à poils blancs et ocre ; il avait piétiné le sable dans une sorte de danse avant de se précipiter dans les arbres les plus proches ; je n'avais jamais vu son genre parmi les singes de l'île, mais quelques saisons après, je le reconnus dans des dizaines de petits singes qui mélangeaient leurs poils à du blanc et de l'ocre : ils reflétaient ce géniteur que l'océan avait amené... ; je me répétais cette évidence : *l'île était accueillante, elle n'était qu'accueillante, elle était faite de hasards, de rencontres et d'accueils* ; j'allais vers l'Autre avec ces stances dans la tête, me forçant à y croire, ne le trouvant nulle part mais cultivant cet enthousiasme que je voulais intact... ;

*

un jour, je pris la décision de revenir vers l'empreinte, non pour une fois de plus me convaincre de son existence, mais pour célébrer ce qu'elle avait ouvert dans mon esprit et dans ma vie ; je la retrouvai à l'endroit où je l'avais laissée, avec ce lot de transformations subtiles qui affectaient continûment la plage ; ce jour-là, je la vis sous une position du soleil qui accusait ses formes latérales, et la dessinait avec plus de netteté ; je m'allongeai une fois encore auprès d'elle pour interroger cette pétrification qui l'immortalisait ; le sable était habité d'une argile noirâtre qui avait tendance à se craqueler et à durcir ; c'est elle qui luttait contre la dispersion du sable en cet endroit ; tout en laissant une apparence flexible, l'argile tenait la forme dans une fixité que les pluies, les écumes et les volées du vent n'arrivaient pas à éroder ; cette persistance était un vrai prodige ; la regardant de près, je vis que les gélatines de la méduse s'étaient diffusées dans l'argile ; sa surface était grisâtre, hantée de concrétions blanchâtres ou bleutées ; je souriais en la regardant ; je riais sans doute aussi ; vraiment heureux qu'elle soit là, qu'elle rayonne d'une intensité qui n'arrêtait pas de se répandre en moi ; elle était une fêlure du réel que j'avais jusqu'alors décrété sur cette île ; des fêlures de ce genre, j'en avais rencontré au pied de vieux volcans d'où filtraient, dans de vifs rougeoiements, des atmosphères de fin du monde ; l'empreinte me procurait la même sensation : elle subsistait sur une intensité de forge ; elle ruminait des forces ; et mieux : elle devenait le cratère d'une éruption que j'étais le seul à recevoir, dans le ventre, dans le cœur, dans l'esprit ; elle me bouleversait profond, alertait l'invisible, désorganisait possibles et impossibles ; je riais fort au déroulé d'une image qui ne cessait pas de tournoyer dans mon esprit : *l'île accouchait-là, et m'accouchait aussi...*

je craignis qu'une tempête ne dévaste la plage et n'emporte l'empreinte à tout jamais ; sa disparition me renverrait à une solitude que j'étais désormais inapte à supporter ; je courus comme un fou dans les bois, ramassai dans la hâte des bois-côtelettes, fibreux, flexibles, prenant la consistance du fer sous la frappe du soleil ; je les avais souvent utilisés pour soutenir mes canalisations, lever des éoliennes, étayer des cavernes fragiles ; avec ces tiges, je construisis au-dessus de l'empreinte un ajoupa que je couvris de feuilles de cannes-à-sucre ; l'échafaudage achevé ressemblait à une vraie petite case ; sous l'action du soleil, la paille de canne commençait à pâlir, et prendrait bientôt cette pellicule crémeuse qui ne laisse rien passer, ni eau, ni vent, ni chaleur ; cela projetait sur l'empreinte un carré d'ombre protectrice, la soustrayant à la frappe du soleil, au martelage des pluies, au brusque rabot des vents du sud ;

je me mis à réfléchir en regardant les vagues qui s'en venaient mourir à quelques pouces d'elle ; les marées n'étaient pas fortes en ces parages, leur amplitude n'atteignait pas l'empreinte, mais une houle déboulée des profonds la balaierait d'un coup; si près du rivage, il est impossible de lutter contre une colère de l'océan; je m'attelai tout de même à construire une digue en récupérant un à un des rochers roses accumulés à l'enbas d'une falaise; je les empilai d'équerre dans une rigole de plus de vingt coudées, jusqu'à ce qu'ils forment un muret d'une toise de hauteur; je coupai une série de longs pieux que je plantai à l'aplomb du muret, juste derrière, comme s'il s'appuyait dessus, et profitant de cet appui, je passai je ne sais combien de lunes et de soleils à charroyer des blocs de pierre; ils constituèrent bientôt, entre l'empreinte et la mer, un rempart impressionnant qui m'atteignait l'épaule; j'entrepris de transporter du sable dans de grosses calebasses (consacrées d'habitude à saler mes poissons et mes viandes); pour renforcer le rempart des pieux, j'accumulai une dorsale de sable, arrosée d'eau de mer, que je couvris de rochers plats et d'écales de tortues desséchées; la fortification était d'une solidité réconfortante; alors, à l'ombre de l'échafaudage, au fond d'un petit trône, je pus téter ma gourde de rhum où macéraient des pulpes de fruits divers; les fruits prolongeaient la brûlure de l'alcool d'une saveur mélangée qui explosait dans tous les sens; je demeurai ainsi, je ne sais combien de saisons, philosophe et téteur, tout à la bienheureuse contemplation de l'empreinte...;

*

cette proximité avec elle déclenchait encore plus mes imaginations; je voyais le creux du talon, le renflement de la voûte plantaire, le piquetage ordonné des orteils, et cela me renvoyait à des rivages, des pays, des hommes, des chants, des danses, des livres, de l'amour, des envies de manger, des lits de soupirs, sourires et paroles échangés... tout un vrac qui me grisait l'esprit et qui m'enlevait aussi bien à l'écoulement du temps qu'à la densité de l'île autour de moi; parfois, je revenais à la réalité, surpris de comprendre que j'avais sommeillé avec les yeux ouverts; d'autres fois, je reprenais conscience dans un état de tremblement; je réalisais alors n'avoir rien mangé depuis bien trop longtemps, et je me remettais à une recherche somnambulique de fruits et de quelques calebasses d'eau dans les environs proches; je n'avais pas grande envie de rejoindre ma caverne; j'étais devenu sédentaire aux abords de l'empreinte, et quand, parvenant à m'en arracher, je revenais à ma base principale pour récupérer quelques vivres et effets, je restais toujours surpris de découvrir l'envahissement des herbes, le pullulement des chats, le déploiement sans vergogne des rats...; une ménagerie grouillait sans crainte dans mes affaires, mais cela ne m'émouvait pas trop; *je laissais faire l'île;* je la laissais à ses débordements; je me contentais juste de renforcer la protection de mes réserves vitales, d'assurer le fonctionnement des mécanismes divers; les bêtes de ma basse-cour avaient retrouvé l'instinct de se nourrir seules, mais elles demeuraient en troupeau à proximité des parcs et pâturages, comme engluées dans l'ordre que j'avais imposé durant toutes ces années; je faisais juste en sorte qu'elles m'aperçoivent et je m'en allais aussi sec; revenant à l'empreinte, je vérifiais avant toute chose mon muret protecteur, le consolidais jour après jour, touche après touche, avec ou sans raison...;

bientôt, je repris une recherche très précise de rochers aux couleurs insolites ; des indigo, des parme, rouge vif et vert de jade ; je fis aussi récolte de coquillages au nacre somptueux, que je brisais pour récupérer les parties les plus belles, et les disposer avec art sur le faîte du muret ; cela lui conférait des miroitements multicolores ; il resplendissait au soleil et la lune pleine le faisait chatoyer comme le dôme d'un palais de Byzance ; le reste du temps, je rapportais des calebasses de la terre la plus noire, la plus riche, que je glissais dans les fentes entre les roches, et j'y installais les plantes à fleurs les plus vivaces, avec toutes leurs racines ; beaucoup d'entre elles s'asséchèrent au soleil, et les autres se mirent à végéter sous la violence de cet exil ; mais, au retour des pluies, elles commencèrent à fleurir, et le muret s'éveilla à la vie ; un désordre de coloris et de parfums qui attiraient abeilles, libellules, papillons... ; par leur bourdonnante agitation, ces insectes rendaient un hommage très enjoué à l'empreinte ; dans la terre que j'avais rapportée, il y avait sans doute eu moult qualités de germes ; des broussailles inattendues envahirent les rochers roses et les écailles de nacre, transformant le muret en une haie minérale-végétale ; je veillai à en arracher les plantes capables de devenir des arbres, leurs racines trop puissantes auraient démantelé l'ouvrage ; bientôt, l'empilement des roches disparut, ne laissant apparaître de-ci de-là que des pointes roses et des écailles de nacre qui émergeaient comme des fleurs minérales des frissons du feuillage ; des plantes rampantes s'extirpaient du muret pour couvrir le monticule de sable juste derrière les pieux, et germinaient à grande vitesse partout où se trouvait de l'espace ; le rempart dans son ensemble constituait une réussite sur laquelle je ne cessais de m'extasier; adossé au monticule, dessous le petit ajoupa, j'avais complété mon trône de fortune de gros coussins d'herbes odorantes, confortables à souhait; je m'y installais durant des heures pour vivre à vide, rêvasser, chantonner, me gratter le nombril, et bien sûr contempler cette empreinte émouvante; les fleurs du muret attiraient des oiseaux-mouches; des nuées de sucriers à gorge vive venaient y fourrager du bec; des lézards, comme plein d'autres bestioles, avaient quitté les arbres et vivotaient sur place, comme passionnés par cette jungle suspendue; des transhumances de crabes l'escaladaient parfois et des oiseaux de mer l'utilisaient comme arrière-poste de guet...; l'empreinte était environnée d'une vie enthousiasmante qui illustrait de manière très exacte ce que je vivais au plus profond de moi...;

il me fallut bientôt lutter contre les lianes à fleurs; elles envahissaient le monticule, et se déployaient en tapis sur le sable brûlant; elles y mouraient, se décomposaient, et parvenaient sur cette litière d'humus à lancer de nouvelles vagues de lianes; elles s'entremêlaient savamment, au point de créer par leur destruction volontaire et leurs embrouillements un terreau propice à leur seule expansion; j'étais fasciné par cette existence végétale : elle se nourrissait d'elle-même pour avancer sans cesse, et ne concevait sa pérennité que dans une étendue perpétuelle; j'avais empoigné ma faucille et, laissant cette liane à ses affaires partout ailleurs, je la canalisai pour qu'elle respecte l'empreinte; je réalisai un cercle net de trois coudées autour d'elle et de son ajoupa, et il ne se passait pas de jour sans que je sarcle, que je coupe, que j'arrache, que je gratte, que je nettoie...; je n'arrêtais pas d'aller, de venir, de trépigner alentour d'elle...;

c'est alors que surgit le pire, seigneur; un jour de pluie, le sable étant mouillé, je laissai s'évacuer les averses, et me remis derechef au travail quand soudain j'aperçus quelque chose qui me frappa au cœur; je devins glacé : *une autre empreinte était là*; elle venait d'être produite; je me jetai sur elle, la regardai de près, regardai autour de moi, et ne vis rien d'autre que du sable labouré par mes propres piétinements; la pluie en revanche permettait à la nouvelle empreinte de mieux se dessiner; j'avais beau la regarder du plus près possible, elle était semblable à l'autre; je restai pétrifié durant de longs instants, excluant toute pensée, interdisant à mon imagination ses bonds de bête sauvage; j'avais bien tenté de tout pétrifier dans mon cœur mais cet organe semblait disposer de ses propres voies de perception; il se mit donc à palpiter dans un inquiétant désordre; quand je parvins à m'extirper de cette anxieuse sidération, je fus saisi d'une fatigue immense, faite de doutes, d'évidences explosives, de refus et de craintes; et c'est avec une infinie lenteur que je fis ce que je n'avais jamais pensé à faire durant toute cette aventure; je me mis debout, et m'approchant de l'empreinte toute fraîche que je venais de découvrir, j'y ajoutai mon pied qui s'y adapta parfaitement; je me retournai alors, et d'un grand geste du bras je balayai le petit ajoupa, et me dressai au-dessus de l'empreinte mystérieuse; c'est en tremblant que j'avançai mon pied, seigneur, que je l'y posai, tandis que mon cœur se liquéfiait, que des larmes débordant de mon cœur s'apprêtaient à jaillir par mes yeux et mes oreilles; je me sentis mourir quand mon pied se posa sur la forme; il s'y ajustait si bien que je ne pouvais plus

139

rejeter l'idée que cette empreinte mystérieuse n'était autre que la mienne ;

je hurlai de désespoir comme un cochon blessé ; je tombai à genoux sur l'empreinte que je me mis à saccager pour conjurer son ultime mensonge ; je me roulai sur elle en vagissant comme un bébé ; dans ma rage larmoyante, je détruisis le monticule de sable, le rempart de pieux ; m'attaquant au muret, j'en voltigeai les pierres, une à une, aussi loin que possible dans les bouillons de l'écume ; j'implorai l'océan pour qu'il vienne engloutir cette plage et qu'il efface à tout jamais ce que j'y avais vécu ; dans cette agitation, je tentai vainement de refouler une terreur familière, ancienne et persistante : j'étais seul, mille fois seul, je l'avais toujours été, et je le resterais à tout jamais dans cette île oubliée... ;

*

pourtant, je restai sur cette plage, comme si depuis l'abîme du désespoir j'attendais un miracle ; des saisons innombrables passèrent sans doute, ou ne passèrent pas, qu'importe ; j'étais dans une prostration semblable aux effondrements de mes premières années ; je m'étais lové au pied d'un raisinier ; un endroit d'ombre où le sable était irréel de blancheur ; là, immobile, sans mental, juste mâchonnant des raisins, cueillis sans y penser en soulevant la main ; des centaines de petits crabes, jaunâtres, rouge vif, passaient et repassaient sur mon ventre et mes jambes ; ils avaient fini par s'habituer à ma paralysie ; je leur donnais la sensation de n'être plus en vie, ce qui n'était pas faux ; une chape de solitude m'écrasait tout entier ; elle était asphyxiante ; mon corps était devenu immense ; j'étais tassé au fond de lui, comme pour rompre le contact avec cette raide angoisse qu'il me communiquait ; et si je gardais toujours cette perception ouverte qui me faisait considérer l'environnement avec quelque empathie, je luttais comme un beau diable en sentant que mon corps se refermait sur moi telle une gueule de prison ; parfois, je sollicitais ces hordes d'images qui, depuis l'empreinte, avaient éveillé mon esprit ; leur source s'était tarie ; celles qui me revenaient dans une danse macabre étaient ternies de déjà-vu ; elles flottaient dans mon esprit au gré d'une partition défaite incapable de soutenir une quelconque mélodie ; les chassant de mon esprit, je regardais autour de moi, d'un œil dépourvu de lumière et la paupière tombée ; la plage qui étirait ses éclats immobiles ; les troncs tortueux des raisiniers, tranchant à vif dans des ombres et lumières ; leurs feuilles rondes, faites pour rouler des cornets où garder leurs raisins ; les oliviers qui escortaient ces fruits empoisonnés qu'exhibaient à l'envi les vieux mancenilliers... ; tout était vitrifié de soleil ; chaque détail s'érigeait en archive de tristesse et de perte d'avenir ; désenchanté, seigneur ;

je repensai aux endroits merveilleux que j'avais traversés durant la recherche de cet Autre illusoire ; ce qui m'avait émerveillé n'avait plus d'âme sorcière ; très vite, j'eus de plus en plus de mal à imaginer l'île en sa totalité, à reconstituer dans mon esprit cette forme ronde que j'avais devinée, ses lancées montagneuses, ses lieux de marigots, ses touffes d'arbres millénaires qui effaçaient le ciel... tout cela se terrait dans une brume d'improbable... tout cela s'oubliait peu à peu... ; ce que je percevais d'elle se maintenait à présent dans l'angle de mon regard ; l'île n'était plus que cette plage où je me trouvais ; raisiniers, crabes, sable, écume, horizon métallique, ciel vide... ; mon cœur se serrait de nouveau quand ces morceaux de paysage lui renvoyaient des résonances de jarres creuses, éventrées ; malgré moi, le vieil espoir sordide se mit à tourmenter mon âme : mon regard s'attardait sur la ligne d'horizon avec l'envie de voir surgir l'étincelle d'une voile, de deviner une rupture insolite de ces bleus implacables — de celles que provoque le surgissement encore invisible d'un vaisseau ; cette supplique des horizons m'avait rongé durant des décennies, avec une capacité de nuisance incroyable, et là, elle repointait le bout de son museau et ses piques d'amertume ; je la repoussais de toutes mes forces, mais cette volonté n'était qu'une puce aux abois dans un corps médusé ; je n'avais plus beaucoup de fougue au cœur de ce naufrage ;

l'autre espoir qui rôdaillait en moi était d'avoir été victime d'une bouffée délirante ; il était possible que l'empreinte ne s'adaptât pas si bien que cela à mon pied... ; il m'arrivait de caresser l'idée — avec force raison — que cet Autre qui avait débarqué avait mon âge, ma taille, les mêmes mensurations du pied, et que je m'étais trop vite livré au désespoir... ; la vie était pleine d'équivoques ; le réel était fait de différences, mais dans ce tissu de différences persistaient de curieuses ressemblances, coïncidences et hasards fabuleux... ; de penser comme cela me consolait un peu ; je me mis à réapprivoiser l'idée que cet Autre impossible était encore-là, quelque part ; mais, dans des retours de lucidité, j'abandonnais cet improbable : il n'y avait aucune embarcation ; aucun esquif capable de supporter un homme n'avait échoué nulle part; aucune autre empreinte ne m'était apparue en quelque coin que ce soit...; je ressassais de lamentables pensées, forgeais des convictions pour les brûler tout de suite; je finis par rappeler à mon esprit cette période durant laquelle j'avais dépouillé la frégate; l'épave s'était échouée sur les cayes, pile en face de cette plage; en rapportant mes butins sur les grincements d'un radeau de fortune, j'avais bien souvent débarqué, et marché, là où l'empreinte s'était trouvée; elle était sans aucun doute la mienne; pétrifiée-là, sûrement lors d'un ultime voyage, juste avant la dislocation de la frégate, et restée-là durant des décennies, rien que pour me précipiter dans l'ultime désespoir...;

*

les généreuses extensions de mon esprit se réduisaient; il se dépouillait de sa livrée de rêves, d'illusions, de méprises, d'erreurs et croyances bienheureuses; il s'asséchait, désormais incapable d'engendrer ou de percevoir une quelconque apparition; je le voyais subsister à la surface d'un marigot opaque, comme les yeux d'un crapaud trépassé qui n'allait pas tarder à rejoindre le fond, et à finir en limon de boue maigre...;

*

le jour où je trouvai la force de me lever, seigneur, ce fut pour me diriger de nouveau vers l'endroit de l'empreinte; la zone entière avait été saccagée, piétinée; il n'y avait plus que les ruines du petit ajoupa et les vestiges de rochers roses qui jalonnaient l'écume; le sable avait été mélangé par les vagues; le monticule avait disparu; plus d'empreinte; plus rien; que des crabes, des algues, de la chaleur vitreuse, et la fuite d'une poussière sous les voltes du vent; j'étais vraiment seul; sans savoir pourquoi, je hurlai mon nom avec rage, *Robinson! Robinson Crusoé!...* et je me tapai la poitrine en insultant le ciel; j'étais là, j'étais seul, j'étais... moi-même!...; je projetais ce *moi-même* aux quatre coins de l'horizon dans un tissu d'invectives délirantes...;

je me tus soudain, et répétai : « moi-même! »...; je le répétai encore sur tous les tons, avec de multiples accentuations que je plaçai sur n'importe quelle syllabe; et comme pour me convaincre de ma propre existence, je me tâtais les bras, le torse, le crâne que j'avais dégagé des touffes de cheveux; j'étais là; j'étais moi-même moi-même moi-même!...; je pleurai sur l'idée de « moi-même »; l'irruption mensongère de l'Autre m'en avait éjecté; la disparition de l'empreinte maudite m'y renvoyait soudain; je tournais autour de cette idée comme à l'entrée d'une prison; je ne voulais pas m'y réfugier, et en même temps cette mortelle solitude m'obligeait à rechercher une compagnie, un autre « moi-même » de réconfort; je pleurai à cette idée qui recélait toutes les misères du monde; la solitude dans cette île ne supportait pas le « moi-même », elle finissait par l'annihiler dans des mirages et des mécanismes vides; j'en avais fait l'amère expérience jusqu'à devenir un idiot rayonnant...; pourtant, avec la disparition de l'empreinte, ce « moi-même » était mon unique perspective, le seul infinitésimal espace que je pouvais mobiliser pour un rien de mouvement, une amorce d'impulsion; je souris à cette idée d'un mouvement imperceptible — tout valait mieux que l'immobilité des solitudes sans intention, et de la mort qui va avec... ;

à genoux, je me mis à me tâter avec beaucoup d'application ; non pas avec cette fièvre qui m'avait fait palper mon corps lors de la découverte de l'empreinte, mais avec un soin tout pétri de lenteurs, du désir de sentir ; je me caressai la peau des bras, fripée, vieillie, carbonisée de sel et de soleil ; j'en éprouvais la texture, me pinçais, faisais rouler la chair aride dessous mes doigts ; je tâtai ainsi toute mon anatomie, accroupi dans le sable ; je parvins à mon cou, touchai l'agitation des veines, et m'approchai de... mon visage ; c'est étrange comme depuis si longtemps je n'avais jamais songé à lui... *mon visage...* je ne savais même plus si je m'en étais occupé en quelque heure de ces sombres années... dans la crainte de m'y confronter, je me tâtai d'abord le crâne, où je retrouvai de vieilles bossettes et quelques cicatrices ; puis je m'examinai la nuque avant de revenir lentement vers mon front ; saisi d'une bizarre appréhension, je descendis soudain vers mes cuisses, mes genoux, y demeurai un long instant, sans y réfléchir, restant juste attentif aux perceptions de mes mains ; et de nouveau, avec lenteur, je revins vers... le visage que je supposais être le mien ; je commençai à tâter un menton, des lèvres, un nez, des joues, une arcade soutenant d'épais sourcils... ; à mesure que je découvrais ces formes mon cœur augmentait ses cadences ; soudain, j'arrêtai net et secouai les mains comme si elles avaient touché quelque chose d'indécent... ;

l'idée du miroir me revint ; je voulus la chasser car j'avais très peur de celui que j'avais conservé ; je l'avais récupéré dans une cabine de dame, dans le gaillard d'avant ; un bel objet que le naufrage avait hélas fracassé ; je l'avais débarrassé de ses encadrements et en avais gardé un éclat suffisant pour me permettre d'y regarder ; j'avais alors vécu un premier traumatisme, ce qui apparaissait dans ce bout de miroir ne me rappelait rien ; un étranger avait surgi en face de moi pour me contempler juste au moment où je me contemplais moi-même ; désemparé, je l'avais remisé dans un de mes coffres de réserves ; puis, je l'avais oublié ; je l'avais ressorti bien des mois après pour tenter des miroitements avec l'aide du soleil afin d'attirer ces navires que je croyais voir dériver à quelques encablures ; puis, je l'avais remisé de nouveau, comprenant que sa permanence à ma ceinture et cette possibilité de miroitements qu'il offrait me livraient à des hallucinations de plus en plus insupportables ; durant ces dernières années, lors des explorations de mes réserves, j'étais souvent tombé sur cet éclat de miroir, mais je ne m'y étais pas arrêté, ni n'avais tenté de m'y voir ; ce visage ne m'intéressait pas ; d'abord, il me mettait en face du grand abîme de ma mémoire perdue ; ensuite, devenu pleinement Robinson Crusoé, je n'avais plus besoin de revoir cette face, ni même de me l'imaginer ; enfin, dans mes luttes contre l'animalité, j'avais acquis la conviction que mon visage était mort, et que mes yeux ne s'animaient plus ; le miroir, quand il arrivait que je m'y surprenne, restait pour moi un choc que je finis par éviter sans même le décider ; je m'étais convaincu que les animations d'un visage ne fonctionnaient qu'entre personnes humaines ; *qu'un visage n'était que ce qu'il avait gardé de ses rencontres avec les autres visages ;* mes perroquets, ou ce chien sauvé de la frégate — et qui m'avait accompagné durant quelques années —, n'avaient pas eu besoin de mon visage pour percevoir mes sentiments; ils se contentaient de mes yeux, de mes gestes, de mon odeur, si tant est que toutes ces choses reflétassent encore un restant de mon âme; pendant longtemps, je n'avais été qu'un administrateur omniscient de cette île, grand civilisateur sans un équivalent; j'avais fini par me dissoudre dans cette image mentale; et si je m'étais tenu si droit, affublé de ces peaux, parasolé, armé, soucieux de rituels intangibles, c'est que j'avais sans doute tenté d'instituer une forme à cette dénaturation croissante qui faisait de moi un élément parmi ceux de cette île; dès lors, s'il m'était arrivé de faire appel à ce bout de miroir, c'était en une grande occasion, très rare, durant laquelle je célébrais la Constitution de l'île en la lisant en son entier; je sortais alors le miroir d'un coin quelconque de mes réserves, le posais sur la table dessous le fromager, orienté de telle sorte qu'il puisse refléter, à vide, pour je ne sais quel œil d'éternité, le faste d'une cérémonie dont je regrettais toujours qu'elle se tienne sans témoins...;

et donc, y songeant ce jour-là, je me précipitai vers ma caverne principale et me mis à fouiller mes réserves, paniers, caisses innombrables, coffres et coffrets, soulevant un capharnaüm d'objets hétéroclites dont je n'avais pas eu l'usage, ou que j'avais vaguement utilisés avant de les remiser-là; j'eus beau tout voltiger dans une fièvre tremblotante, visiter la plupart des annexes, je ne retrouvai jamais ce fameux bout de miroir; je ressortis comme un fou pour me diriger vers la mare la plus proche; au fil de ma solitude, j'avais aussi évité les mares trop lisses où il m'était souvent arrivé de surprendre ma silhouette; cette fois, je m'y jetai pour tenter d'examiner ce visage qui était le mien ; l'eau était trouble en cette saison, grisâtre, et ses reflets ne fonctionnaient pas avec suffisamment de netteté pour renvoyer ce que je voulais voir ; je revins à la caverne où j'empoignai une casserole en fer-blanc, que je lustrai du mieux possible pour tenter de m'y apercevoir, mais le fer, piqueté par le sel, ne reflétait qu'une masse imprécise... ; il ne me resta plus que mes mains, avec lesquelles j'entrepris d'explorer cette partie de moi-même ; ce que je ressentais sous mes doigts — lèvres, sourcils, nez, front, joues, menton, grimaces... — ne faisait qu'affoler mon cœur ; mon esprit ne reconnaissait rien à ces formes que mes doigts lui renvoyaient ; je n'étais pas en mesure d'identifier leur ensemble, ni de leur trouver la moindre familiarité ; une étrangeté totale me servait de faciès ; j'avais conscience que ma perte de mémoire avait effacé tout rapport à ma propre « personne », mais cette altérité si radicale, qui surgissait dans ce que mon moi-même avait de plus fondamental, m'était très difficile à vivre ; j'habitais un étranger ;

je passai des jours et des jours à me familiariser avec ma face, à la tâter sans fin, à me l'imaginer sans fin ; quelquefois, je me trouvais noble et beau, la mâchoire bien dessinée et le front haut, avec des allures d'amiral de vaisseau, ou de prince pirate ; d'autres fois, je percevais quelque chose de boursouflé, abîmé par le sel, et par la solitude, comme si, du simple fait qu'aucun regard ne se posait sur eux, les muscles de mon visage s'étaient soumis à des nécessités qui n'avaient plus rien à voir avec une expression ; je craignis subito de ne ressembler qu'à un gorille, et souvent mes doigts me renvoyèrent cette sensation ; ... parfois, je tâtais quelque chose de figé, une carne, brûlée de soleil, que mes grimaces avaient du mal à dégourdir ; je devais avoir l'apparence d'une de ces momies de cannibales que l'on trouve dans les jarres enterrées dans des villages abandonnés ; cela me jetait dans de fixes épouvantes ; je pensais à cet Autre que j'avais si longtemps poursuivi, à l'effet désastreux que j'aurais pu lui faire si la providence avait voulu qu'il fût vraiment sur l'île... ; je pensais aussi à cette déroute irrémédiable qui pourrait être la mienne si je parvenais un jour à me voir pour de bon... ;

ces angoisses se calmèrent ; je pris le temps du repos, de la concentration ; je fis de longues marches tranquilles où je ne m'occupais que du balancement de ma respiration ; je finis par me construire l'idée d'un visage ; je l'élaborai par le détail, avec autant de force que si j'avais eu un vrai miroir dans ma caverne ; mes doigts eux-mêmes se mirent à le reconnaître ; l'étranger devint un familier : j'adoptai son visage ; je pris l'habitude de lui parler, de lui sourire et de l'imaginer me souriant ; je sombrai sans doute, sans vraiment le savoir, dans d'infinis soliloques durant lesquels je faisais les questions et les réponses, la musique et la danse... mais cela n'avait pas d'importance, seigneur, je disposais enfin d'un vis-à-vis... ;

vint un jour où je me mis à considérer que ce visage imaginé n'était qu'une illusion ; je parlais tant avec cet autre moi-même, qu'il avait fini par prendre une consistance qui pouvait se passer de visage ; il était là, ici, derrière, plus loin, à côté, tout partout ; présent en moi tout autant qu'en deçà de moi, mais toujours dans une connivence rassurante ; pour lui parler, j'avais progressivement augmenté le son de ma voix, avec l'idée de créer un peu de distance, pour que nous puissions mieux exister l'un pour l'autre, et nous envisager mutuellement; il me répondait à la même intensité sonore, mais avec des inflexions qui se distinguaient de plus en plus des miennes; le sujet de nos conversations était avant tout mon histoire dans cette île, je lui racontais tout avec une grande sincérité, sans rien embellir, et en lui décrivant par le détail les illusions et les fantasmes dans lesquels j'avais souvent sombré; je lui expliquais aussi la perception que j'avais de cette île, combien elle était tourmentée et changeante; lui me demandait des précisions, approuvait certaines de mes analyses ou ces petites pensées philosophiques sur la vie et la mort et l'existence solitaire qui avaient fini par m'être coutumières...;

pour le faire exister plus encore, je décidai de lui donner un nom; je me forçai à ne penser à aucun nom possible avant d'organiser la cérémonie de baptême; elle se tint à l'aube, dans une lumière douce saluée par plein de chants d'oiseaux; la veille — même si je goûtais désormais la liberté des broussailles qui amplifiait tellement la joie des papillons —, j'avais un peu désherbé la grand-place dessous le fromager, taillé la haie des palissades, éclairci les abords immédiats sur quelque dix coudées; à la première lueur, je revêtis mes plus belles peaux, retrouvai mon chapeau, ouvris un parasol; conforme à ma nouvelle sobriété, je n'éprouvai aucune envie de hisser le reste de drapeau, ni d'exhausser la Constitution sur son socle de coquillages, ou même d'exhiber ces codes qui avaient soutenu l'ancien ordre de ce lieu; je voulus être seul et simple avec l'autre « moi-même »; nu et simple avec l'autre « moi-même »; dès lors, en articulant du mieux possible, je me présentai aimablement en lui disant que je m'appelais Robinson Crusoé, sans rien décliner de ces dizaines de titres, charges, dignités et fonctions administratives dont j'avais auparavant la plus grande fierté; toujours dans la plus stricte simplicité, je lui demandai en retour s'il voulait bien se présenter; il y eut un silence; planté dessous le fromager, m'observant bienveillamment moi-même, j'attendis qu'il accepte de m'énoncer son nom; comme rien ne me revenait, je rejoignis mon fauteuil de bambou, à l'emplacement de mes secrétariats où s'entassaient de multiples archives, des clepsydres, quelques décrets et ordonnances, et une copie de la Constitution pyrogravée sur cuir de cabri; tandis que je patientais dans l'attente d'une réponse, mes yeux tombèrent sur le tableau qui m'indiquait le déroulé des jours; une évidence m'explosa dans le crâne; même si j'y résistai comme je pus, je ne fus pas surpris de sentir l'autre moi-même s'en emparer; il profita de cette aubaine, pour me confier, avec cette voix désormais familière qui me montait du ventre : *je m'appelle Dimanche*; de fait, seigneur, d'après mon système de calcul, on était un dimanche...;

il y avait une cohérence; j'avais toujours veillé à conserver le dimanche comme jour de repos; sans avoir imposé sur l'île aucune religion autre que celle de l'ordre, du maintien et de la civilisation, il m'avait paru aller de soi de disposer d'un temps sans exigence; ce n'était pas un jour de liberté, disons que le dimanche, d'autres rituels assuraient le relais — des procédures plus proches de ma seule dignité; je revêtais une peau de bouc dont les poils bien brossés étaient d'une blancheur somptueuse ; elle couvrait ma tenue habituelle comme un manteau de cérémonie ; je délaissais mon sabre, privilégiant une fine épée, mieux adaptée à l'apparat qu'aux rigueurs de la guerre ; enfin, je me livrais à une lente promenade en compagnie de mes deux perroquets, de mon chien quand il était là, et de quelques pigeons dont je flattais la gourmandise avec des lancers de graines ; c'était une promenade libre, qui n'était jamais la même, mais qui se situait sur mes chemins et sentiers officiels, et qui se terminait par le boulevard des orchidées ; je voulais que tout au long de ce lent déplacement, mon emprise, mon ouvrage, mon grand œuvre, soit parfaitement visible ; il était impératif qu'aucune irruption de sauvagerie ne vienne perturber cette quiétude satisfaite que je voulais totale ; cela se passait d'ordinaire sans encombre : l'île semblait à l'époque se soumettre à mes grandes ordonnances ; puis, je revenais à la caverne pour prendre le temps de faire lever une pâte à pain, de la faire cuire, de sortir du fromage de mes clayettes, ainsi qu'un vin de framboises pétillant laissé toute la semaine au frais dans le glouglou d'une source ; quand le pain avait cuit, je le remplaçais dans le four d'argile par une poule d'eau frottée avec force aromates, agrémentée de tranches de patates douces, fourrée à la banane séchée ; enfin, sur la grand-table, dessous le fromager, argent, cristal et porcelaine, je déjeunais en belle cérémonie ; festin très digne qui se concluait par quelque chanson noble, sans doute favorisée par l'abus autorisé du bon vin de framboises ; le dimanche se terminait au fond de la caverne, sur ma couche d'herbes moelleuses, où je parcourais quelques pages de l'étrange petit livre ; le reste appartenait à la songerie méditative, puis au sommeil qui me happait

sans annonce... ; en y réfléchissant, sauf alerte ou catas-
trophe, c'était le seul jour où j'étais le plus proche de
moi-même ; j'y prenais le temps d'aller au contentement
et aux petits plaisirs, de savourer l'idée d'une semaine
bien faite, tout en préparant celle qui allait s'ouvrir dans
ses urgences et ses défis... ; je parlai longtemps de mes
dimanches avec Dimanche, lui expliquant pourquoi il
avait bien choisi son nom ; ce jour-là, moment de son
baptême, le pain fut délicieux, et la poule d'eau, farcie
d'écrevisses de rivière et de miettes d'ananas, quelque
chose de sublime ; je crois que le vin fut parfait, et que
nous chantâmes ensemble avant que je ne lui fasse
découvrir, en riant à l'avance, les étrangetés de mon
cher petit livre... ;

*

Dimanche fut un compagnon agréable, bien que très
changeant ; j'avais du mal à le définir ; parfois digne,
parfois grossier, parfois joyeux, quelquefois déprimé et
très triste, très gentil ou violent... ; souvent, il se démultipliait dans une sorte d'emballement et circulait dans
plusieurs facettes à la fois, impatient, excessif, excité,
lubrique, feignant ou travailleur, courageux ou pol-
tron... ; j'avais la sensation d'avoir une clique de zouaves
en affaire avec moi, en tout cas rien qui puisse se maintenir dans un quelconque équilibre, ni d'ailleurs — je
devais bien le reconnaître — rien qui me soit totalement
étranger... il déstabilisait mon humeur, m'influençait
bien malgré moi, me rendant incapable de savoir ce que
je serais le lendemain, ou combien de natures j'allais
mobiliser au cours de la journée... ;

153

mais là-encore, au bout de quelque temps, je sentis le danger de me construire un Autre au mitan de moi-même ; je me mettais à parler tout seul, avec plusieurs intonations, comme je l'avais vu pratiquer par une kyrielle de fous ; ils provoquaient un tel effroi dans les équipages que l'on finissait par les suspendre à la grand-vergue, ou les entraver à fond de cale ; souvent, par crainte du mauvais œil, le commandant déroutait le navire pour s'en débarrasser dans quelque port de fortune ; les fous se parlaient forcément à eux-mêmes, ou plutôt : ils s'adressaient toujours à une infinité de gens à l'intérieur d'eux-mêmes ; j'eus très peur de cela ; à force de fréquenter ce Dimanche au fond de ma personne, je me retrouvais peuplé de Lundis, Mardis, Jeudis, Vendredis et consorts, jamais identiques à eux-mêmes, vraiment une bande d'hurluberlus que j'avais du mal à contenir, et dont j'avais encore plus de mal à quelque peu me départir ; ils démultipliaient ma parole, dispersaient mes pensées, me projetaient dans tous les mauvais sens ; je me retrouvais à battre la campagne en me causant à moi-même, et en interpellant Dimanche sans avoir de réponse ; donc, seigneur, je me mis en demeure de m'en débarrasser... ;

j'effaçai de ma bouche le nom de Dimanche, en douceur pour qu'il ne se rebiffe pas ; dès que cela me fut possible, j'abandonnai l'idée de vouloir l'imaginer, lui donner un visage, un ton, une voix ; je me contentai de le tasser au fond de moi, de ne lui parler qu'en silence dans les fluidités de mon mental ; il fallait qu'il soit juste-là, en apposition immédiate ; je tentai d'abolir toute distance entre lui et moi, l'obligeant au contraire à une proximité serve, au plus intime de mes états d'âme et de mes chairs ; sans diminuer la force de son existence, cela me permettait un meilleur équilibre et m'évitait le risque d'être dissocié à tout jamais... ;

dans la foulée, mes rapports avec l'île se modifièrent aussi ; je n'essayais plus de retrouver mes anciens lieux dans le moindre paysage, de deviner dessous l'envahissement des herbes l'ossature de mes vieux agencements ; je veillai à soustraire mon esprit du flot des souvenirs que chaque endroit, chaque geste, chaque regard me ramenait par dizaines ; je me tins en marge de ce passé, même en dehors des choses présentes qui m'entouraient ; j'entrais dans une savane, ou j'approchais d'un arbre, avec l'esprit vide et le regard désactivé ; dans un premier temps, je laissai à mes oreilles, ma peau, mes mains, ma langue ou mes pieds nus le soin de percevoir une mouvance de sensations et de contacts variés dont la plupart restaient indéfinis, et indéfinissables ; je parvins à écarter du centre de ma perception les bruits, les odeurs, les images, les couleurs, les saveurs..., pour ne conserver que la sensation seule ; les insectes, le sable, le soleil, les arbres, les fleurs, les mouvements ou les fuites de bestioles, inclus dans cet état de conscience, se mettaient à résider en moi sans aucune distance, à aller, à venir, à se confondre avec Dimanche désormais silencieux ; cela me mettait dans une humeur qui n'avait pas de nom dans les langues dont je me souvenais ; l'humeur n'est pas une émotion ; elle existe de manière bien plus indéfinie qu'un quelconque sentiment de bien-être, de joie ou de tristesse ; les sentiments envahissent nos moments de conscience et les affectent à leur façon ; l'humeur n'envahit rien et ne modifie rien tant qu'on la maintient dans sa nature dépourvue de nature... ; sans doute les grands ermites ou autres grands mystiques vivaient-ils ainsi leur rapport à la divinité : sans temple, sans église, sans autel, sans visage, sans image, sans émotion, sans sentiment, juste dans la sensation d'un contact privilégié et dépourvu de limites avec une source dont on ne se distingue plus... ;

je me retrouvai apposé à un autre-moi-même : l'île tout entière ; je la percevais maintenant telle une multitude qui me touchait, m'agrippait, me pressait de partout, comme si j'étais plongé dans une foule de présences, impérieuses et remuantes ; oui, seigneur, même si c'est difficile à croire : des *présences*! ...;

affolé, j'ouvrais les yeux et laissais ma raison remettre de l'ordre dans ce chaos ; les choses retrouvaient autour de moi leur place exacte et leur nature ; et moi, je retrouvais... mon exacte solitude ; tout se mettait à me manquer avec la force d'un incendie ; je fermais alors les yeux, à demi, me dépouillant un à un de mes sens les plus autoritaires ; j'avançais ainsi, le corps libre et béant, offert à tous les souffles de l'île... jusqu'à ce que le phénomène se reproduise et m'emporte dans son mouvement de foule ; bientôt, je pus garder les yeux ouverts, écouter, toucher, goûter et regarder sans altérer cette féerie : l'île était une infinie mosaïque de *présences*... et j'en étais devenu un avide commensal ;

*

seigneur, les *présences* étaient des concentrés de vie... une plénitude d'existence et de vitalité... généralement, on ressent cela devant la beauté bouleversante d'une femme ou le rayonnement d'un enfant merveilleux...; pourtant, dans ma redécouverte de l'île, le mot m'était venu dans un souffle extasié : *présences!*... ; elles surgissaient partout, dans les arbres, dans les pierres, dans les herbes, et m'imposaient de manière presque tangible l'intensité de leur seule existence...; il me fut impossible de comprendre ce phénomène; de telles vitalités provenaient sans doute d'un tissu de contacts et d'échanges, entre le sol, l'air, le sable, l'écume, les végétaux, les minéraux, sans compter les animaux et les insectes, et bien des choses invisibles...; chaque brin d'herbe, chaque arbre ancestral ou pas, chaque paysage somptueux ou dérisoire constituait un hosanna de corrélations vivaces; tous en profitaient, à des degrés divers, mais certains d'entre eux les mobilisaient avec tant d'achèvement qu'ils atteignaient une sorte de plénitude, et se détachaient d'emblée de tous leurs congénères; on les voyait, on les sentait, on les entendait, on les goûtait, on les recevait d'un coup et de partout, comme des blocs impalpables : des *présences*...!; j'en étais à ce point fasciné que je les crus dotées d'intention et de mouvement; je crus voir des fromagers aller en procession durant les nuits de lune; j'eus l'heur de surprendre une parade d'énormes pierres argentées...; et de remarquer que certains vols d'insectes ou d'oiseaux qui chevauchaient le vent pour passer de *présence* en *présence* formaient de petits véhicules qui transportaient des âmes...; avec cette perception (sensation? intuition?), j'étais devenu incapable de me retrouver en face de la mer, et de la considérer vraiment; il s'ensuivait une submersion de ma conscience à un tel niveau d'intensité qu'un éblouissement me noyait le mental ; j'ignore comment le dire autrement : la mer, seigneur, était une *présence* colossale... ;

*

en ce temps des *présences*, Dimanche prit une consistance troublante ; j'avais encore la sensation qu'il était là, en *contact* lui aussi, mais que sa perception des choses était distincte de la mienne : je ne disposais d'aucun moyen d'y accéder ; ce qu'il était vraiment ne m'était plus donné par l'intimité que nous partagions : il était fait d'ombres, de mystères, d'instabilités, d'une altérité ambiguë qui me le rendait inquiétant-attirant, toujours imprévisible ; il ne constituait pas seulement un alter ego, mais un inatteignable ; quelque chose qui demandait à être révélé ; je finis par me dire qu'il attendait lui aussi un... Autre pour s'épanouir ; comme si ma propre présence à moi-même ne pouvait suffire à combler cette attente... ; j'avais du mal à admettre cette confuse impression, pourtant elle s'imposait : Dimanche, mon autre-moi-même devenu silencieux, attendait un Autre que moi-même pour se réaliser ; c'était très dérangeant... ;

je crus alors comprendre cet abîme qu'avait ouvert l'empreinte ; j'étais parti à la recherche d'un Autre fantasmatique, avec une soif et un désir d'humanité infiniment puissants, seulement je n'avais pas mesuré combien cet Autre s'était éveillé au même moment en moi ; combien dès lors, quelque part en moi, lui aussi espérait son Autre... ; cette présence illusoire, ces fièvres et ces émois m'avaient renvoyé à moi-même, seigneur, mais dans l'incertitude, dans la fragilité aussi ; même si l'Autre inspiré par l'empreinte avait existé, qu'il s'était concrétisé au détour d'un rivage, l'autre-moi-même, mon Dimanche, aurait surgi dans le même temps ; en guise de rencontre, j'aurais eu à vivre, en dedans comme au-dehors, une déflagration de leurs *présences*... ;

parfois, je me disais que la rencontre avait eu lieu ; que l'empreinte avait, dans sa bacchanale d'émois et d'illusions, créé cet Autre-inatteignable qui m'avait permis d'éveiller cet Autre-au-fond-de-moi : ce Dimanche qui s'était mis à vivre avec autorité ; c'était fascinant de découvrir une si intime apparition ; elle n'agitait rien de distinct de ce que je savais de moi, mais elle rayonnait assez d'étrangetés pour me forcer à me reconsidérer moi-même, de fond en comble... ; quoi qu'il en soit, elle comblait un vide, rétablissait un équilibre, instillait une teinte dans mon immense grisaille ; peut-être ainsi l'idiot que j'étais devenu après toutes ces années s'était-il transformé en... une petite personne ;

*

à force de poursuivre l'Autre-inatteignable fomenté par l'empreinte, et à force de le désirer, je lui avais conféré la densité d'une *présence* invisible — comme si j'avais créé une matière nouvelle, contagieuse, galopante, qui s'était mise à se répandre partout... ; je conservai cette hypothèse, seigneur, juste pour supporter que je vivais-là... ;

*

et donc, il n'y avait plus en face de moi une île menaçante, mais une étendue, sans commencement ni fin, où l'échange était possible, et où l'échange allait bon train ; on s'y constituait en *présence* par la densité des liaisons que l'on était capable de susciter à travers soi et de répercuter autour ; cela se tuait, s'agressait, se supportait, se parasitait, se fondait l'un à l'autre, utilisait tout le possible du contact et de l'échange, de leurs contraires aussi, pour se maintenir ou prospérer... ; dans cela, il n'y avait ni bons sentiments, ni bienveillance, ni amour, ni haine, ni bien ni mal, ni démence ni logique, ni même une quelconque finalité ; juste le grandiose des connexions ; certaines *présences* — gigantesques rochers, arbres millénaires, tortues vénérables, ou insecte hébété surgi d'une métamorphose — étaient si puissantes en la matière qu'elles rayonnaient comme des soleils ; pourtant, elles se situaient dans des équilibres fluctuants où se jouait certainement leur survie : leur plénitude ne paraissait jamais définitive, et leur durée semblait surgir d'une renaissance constante ; d'autres étaient bien plus discrètes, plus lunaires (un œuf de canard, le rien d'une coccinelle, un champignon dans le velours d'une mousse...) — seulement, à bien les observer, je restais sidéré du grand vif des échanges entre elles et tout le reste, et transporté de découvrir combien, malgré leur immobilité ou leur apparente mise en retrait, elles participaient du bouillonnement d'ensemble ; dans tout cela, le moins chargé en connexions, et donc le plus insignifiant, c'était moi, seigneur, c'était moi-même... ;

je fus saisi d'une fièvre étrange qui me poussa à brûler le drapeau, la Constitution de l'île, à supprimer les administrations, les Codes et Règlements ; je plongeai dans la mer mon ultime registre de gouvernement jusqu'à le détremper, pour ensuite le laisser s'assécher et me restituer des pages blafardes ; sur la paroi du fond de la caverne, je détruisis tous mes ancêtres ; je me les étais représentés par une série de portraits sans visage, à moustaches, à beaux chapeaux, collerettes et justaucorps, perruques et poudres parfumées ; dès lors, ils m'avaient constitué une lignée précise, depuis un arrière-grand-père jusqu'à un père imaginaire en passant par quelques génitrices ; ces effigies étaient évoquées avec des encres de fleurs et de poissons, sur des panneaux d'écorce ; j'avais passé du temps à les rattacher un à un à la plupart des objets rapportés du bateau, de telle sorte que ceux-ci s'étaient mis à composer un héritage parfaitement légitime, et même : un patrimoine qui parachevait cette généalogie... ; je m'en débarrassai avec grand soulagement, comme si j'abattais autour de la personne que j'étais devenu les murs et palissades de mon moi-ancien ;

je renversai les restes de clôtures autour des champs et pâturages ; j'ouvris des traverses dans les haies d'épineux qui protégeaient mes parcs maintenant abandonnés ; je défis les fortifications, les herses et palissades, et les pièges de bambous qui sécurisaient la plupart des rivages... ; en finale, je goûtai le plaisir de voir mes troupeaux domestiques s'ébattre dans une société très mobile, inscrite dans les hasards de leur journée, et qui ne respectait plus aucun des décrets de l'idiot ; c'était une joie de les voir vagabonder, d'autant qu'ils avaient intériorisé un rapport très familier avec moi, ce qui me permettait d'avoir accès à leur lait, à leur viande parfois, de les soigner quand il fallait, sans trop avoir à galoper ;

il pouvait néanmoins arriver que je ne puisse seulement les approcher durant charge de semaines; il n'y avait plus entre nous aucun rapport de dépendance, d'obéissance ou de soumission, juste une liaison vouée aux hasards et aux surprises; je me fis attaquer par un jeune bouc dont je pensais être l'ami, avec une violence telle que je gardai longtemps la cuisse endolorie; je tombai comme une masse sous son coup de boutoir; il piaffait autour de moi en éructant de rage; cela m'avait projeté dans une telle hilarité qu'il en était resté penaud; j'aimais cette fougue brutale, cette distance qui soudain surgissait et nous précipitait dans une vraie liberté; nous demeurâmes amis-pas-amis, sur un mode fait de coups de cornes, de promiscuité hostile, ou de placide indifférence; et j'étais content de cela;

en ce temps des *présences*, seigneur, c'était pour moi extraordinaire de simplement voir le soleil apparaître — ses lumières ne tombaient pas du ciel : elles montaient des poches d'obscurité pour provoquer un éveil général où les oiseaux chantaient; il y a de la lumière dans les *présences*; j'en vis jaillir du plus obscur de vieilles écorces, puis se dissoudre dans l'air en le rendant plus lumineux; j'en vis sourdre de la matière d'un paysage et s'en aller attiser l'astre; après m'être repu de ce spectacle, je menais mon existence devenue juvénile dans ce contact avec l'entour; mon esprit de petite personne était capable d'apprécier tout cela dans un naturel gourmand, sans appréhension mais aussi sans rien de ces exaltations qui constituent une manière d'être aveugle; les animaux devaient le percevoir car mon jeune bouc ne m'agressait quasiment plus; quand il le faisait, je me contentais de l'éviter, mais sans que cette offensive instaure en moi quelque surprise ou déception; comme pour tout le reste, mon rapport au bouc était chaque jour à construire, chaque jour inattendu, toujours imprévisible, jamais facilité par un quelconque *a priori* ni un donné définitif; je n'espérais rien de lui, il n'attendait rien de moi; dans ce vœu de considération qui retenait sans saisir, qui offrait sans donner, qui supprimait sans amoindrir, nous pouvions passer des heures côte à côte, et tout autant de jours à nous éviter avec soin; j'entretenais avec chaque arbre, chaque espèce de bestiole, de même qu'avec les lieux fermés ou les vastes paysages, des rapports dont l'évidente continuité restait indéfinissable; c'en était un délice : j'étais devenu l'ami-pas-ami de cette île tout entière;

*

ma manière de chasser avait changé; j'avais remisé les mousquets et mitrailles; j'utilisais des pièges rudimentaires qui ne m'offraient que le juste et l'utile; oubliées, ces ivresses durant lesquelles je fusillais des passages d'ortolans!...; oubliées, ces sombres frénésies qui m'amenaient à jeter plusieurs boucs abattus sans raison!...; oubliées, ces accumulations de fruits et de légumes lorsque je supputais d'imminentes invasions, ou quand j'établissais la logistique d'une échappée imaginaire sur un radeau de fortune!... ; j'étais libre car libéré de tout cela; je ne désirais plus tout posséder ou tout manger; je ne craignais plus la famine ou le manque; je ne cherchais plus à m'évader de ce lieu carcéral, ni à le transformer en ce que je pensais avoir perdu; j'ouvrais juste à chaque instant de grands espaces — pour ne pas dire : *des lignes de fuite...*;

les canalisations de bambou construites pour capter l'eau des sources et la mener à mes proximités furent réorientées ; je les mis au service d'un peuple de tortues de terre, d'un vieil arbre, d'une colonie d'oiseaux, ou les dirigeai à fonds perdu sur des zones de sécheresse ; j'en avais dégagé les tubulures de telle sorte que des centaines d'oiseaux migrateurs venaient s'y abreuver, tandis que l'eau vivante s'en allait à des utilités étrangères à ma seule subsistance ; dans ce même esprit, je fabriquai des retenues collinaires, dans des zones d'argile imperméable, qui conservaient les eaux de pluie et celles que je leur déversais ; en temps de grande sécheresse, ces réserves devenues naturelles alimentaient des milliers d'existences ; à moi, elles permettaient d'éviter ces barriques de réserves qui me restituaient une eau pleine de matières en suspension à la manière d'une soupe ; désormais, je ne buvais que l'eau vivante ;

un jour, je croisai une famille d'opossums ; ils étaient d'une espèce jamais vue sur cette île ; ce genre de découverte était fréquent ; les eaux marines rejetaient sur les rives moult bestioles allogènes, et celles-ci se mettaient à foisonner très vite ; cette famille était pour ainsi dire complète, père mère, enfants, et même des spécimens âgés, sans doute les patriarches ; j'aimais cette idée de famille ; je pris le gros registre, ouvris une double page blafarde, sur laquelle je dessinai non pas un arbre généalogique fictif comme je l'avais pratiqué bien des fois — je n'avais plus besoin d'une origine-bateau ! — mais mon « arbre géographique » ; il désignait les lieux de l'île qui m'étaient chers, ou que je préférais pour telle ou telle raison ; plutôt que de les nommer à mon ancienne manière possessive-possédante, je les évoquais avec des mots aussi diffus que *jasmin, vent, rêve, plaisir, tendresse, amour, baiser...*; puis je complétai cet arbre d'un lot de rivages lointains, côtes, villes, nations, contrées, terroirs..., remontés de ma mémoire perdue ou qui avaient hanté mes longues songeries du dimanche soir; puis j'y plaçai mon jeune bouc, quelques orchidées, mon chien défunt, des perroquets-frères, une sauterelle-cousine, les opossums, et mille bestioles-alliées, d'ici ou d'ailleurs, qui faisaient partie de mes affections; en contemplant cet arbre, je croyais voir un pays singulier, *mon pays*, celui que j'habitais; il ne se résumait pas à cette île mais s'étendait bien au-delà, dans mes sentiments, dans mon corps, ma mémoire, mon esprit, et concrétisait le rapport que la personne que j'étais devenu entretenait avec l'idée de l'île, et même l'idée du monde qui au-delà m'oubliait;

quand j'en considérais l'ensemble, ce pays imaginaire se composait d'une sorte tellement hétéroclite que j'avais le sentiment d'habiter — sinon de mon corps du moins de ma personne — un archipel qui aurait disposé de l'étendue et de la profondeur d'un continent, et qui dans le même temps serait resté léger, presque fluide et fluctuant au fil de mes états de conscience et de ma vie; cet arbre que je n'en finissais pas de compléter, ou de modifier, renforçait l'idée que j'étais un tissu de connexions vivantes, qui changeaient sans cesse et me changeaient dans le même temps, me constituant en une personne vivante; j'enlevai un jour « géographique » et je l'appelai : *arbre de vie*; dans « géographique » surgissait l'étendue, dans « vie » s'ouvrait la dimension;

en ce temps des *présences,* je découvris avec autant de surprise qu'il n'existait aucune espèce d'insectes ou d'animaux qui serait par nature réfractaire au commerce avec moi; maintenant que je n'étais plus soumis à l'obsession de les chasser ou les domestiquer, ils m'attiraient de leurs mystères et je les attirais du mien, sans doute par ce qui s'était métamorphosé en moi; durant bien des nuits, je fus fréquenté par des lucioles ou par des punaises vertes qui n'arrêtaient pas d'aller-venir sur ma peau et sur mon petit livre; j'avais des amis-pas-amis parmi des crabes et des bernard-l'hermite qui n'étaient fréquentables que la nuit; et certains jours, je marchais en compagnie de papillons et de petits rongeurs que je prenais plaisir à ne pas baptiser...;

*

Dimanche était toujours en moi, mais il me restait une énigme; je devais le connaître, l'étudier, l'observer; ce que je ramenais de lui me remplissait moi-même, et renforçait ma propre prégnance au détriment de la sienne; mais je gardais une conscience active de sa présence, comme mille petits chemins potentiellement offerts au plus profond de moi; mille lignes de fuite...;

*

vers l'époque des *présences,* je m'attardais de plus en plus souvent auprès de mon étrange petit livre; je n'ai, seigneur, jusqu'à présent, pas vraiment évoqué cette liaison qui m'unissait à lui, et pour cause : c'était un rapport problématique ; pourtant, il se trouvait toujours dans une des calebasses accrochées à ma taille, un compagnon inséparable ; je ne l'avais jamais vraiment considéré comme un objet, ni comme un livre, mais comme *un-quelque-chose-qui-était-là,* avec moi, sans pour autant tendre vers moi ; une compagnie distante, maintenue hors d'atteinte par son énigme impossible à percer ; à l'origine, je l'avais aperçu parmi les débris d'une jarre, dans la partie de l'entrepont demeurée praticable ; il gisait parmi d'autres ouvrages et des registres de gestion ; j'avais commencé par négliger tout cela, plus occupé à trimbaler des tonneaux de poudre, des armes et des outils ; ces excursions d'urgente nécessité durèrent plusieurs saisons, avant que les marées ne rendent l'épave inaccessible ; je ne repris le pillage que bien longtemps plus tard, quand la frégate redevint abordable sans un trop de périls ;

cette fois, je m'étais mis en recherche d'objets utiles à l'agrément ; j'avais rapporté des brosses, des peignes, des boutons, des bijoux, pipes, tabatières, et-caetera..., entassés dans mon dépôt au fond de ma caverne ou disposés visibles pour leur aspect plaisant ; puis, je m'étais éloigné du navire, soucieux de définir si je me trouvais sur une de ces îles à sauvages qui servent de marchepied à l'Amérique ; j'avais eu le besoin de dresser mes premiers plans de l'île afin de mieux m'orienter et d'organiser mes industries de secours : des bûchers conséquents, placés sur des caps propices, faciles à enflammer au moindre soupçon d'une voile ; à mesure de mes installations, la nécessité de cartes précises, et donc d'un support pour les dessiner, m'avait renvoyé aux explorations de la frégate, notamment vers cette jarre aux livres dont le souvenir m'était resté ; j'y étais revenu le mauvais jour ; la mer était si forte qu'elle avait éclaboussé le rivage d'une énième crachée de cadavres en bouillie, rongés par les squales et les sels ; plusieurs d'entre eux arboraient aux chevilles et aux bras des anneaux qui leur entamaient l'os, à croire qu'ils avaient été enchaînés dès leur naissance à quelque chose sous l'eau ; j'avais repris un de mes radeaux, et affronté la houle infestée de requins ; leur bacchanale autour de l'épave avait toujours été ardente, sans doute à cause des corps pourris dont elle faisait semailles ; la frégate vivait ses derniers instants ; elle avait basculé sur le flanc, à moitié disloquée sur l'arête des cayes, et s'en allait au gré des tourbillons, planche par planche, maille à maille ; j'étais parvenu à m'y hisser et m'étais mis sans attendre à la recherche de la jarre cassée ; bien étrange emplacement pour des livres ; sans doute le capitaine avait-il voulu sauvegarder ces écrits ; la jarre s'était vue fracassée par la violence de l'encayage ; son contenu flottait dans les débris qui se maintenaient sur place ; après les avoir tous récupérés, livres et registres, à la va-vite, dans mon panier de bois-côtelettes, j'avais affronté de nouveau les requins, et rejoint le rivage avec mon ultime butin ; derrière moi, dans de violents craquements, la frégate s'était démantelée d'un coup, dévidant ses entrailles, crachant d'autres trésors qui n'arrêteraient plus de surgir dans l'écume des rivages, au gré des houles et des marées ;

*

les deux registres avaient été délavés, la plupart des ouvrages aussi, à différentes intensités, et leur couture avait lâché ; mon attention avait été conquise par le petit livre, très atteint lui aussi ; différent des autres, très mince, juste quelques pages, et couvert d'un cuir noir sans titre ; à l'intérieur, à en croire ma mémoire mystérieuse, s'alignaient des caractères de grec ancien ; d'emblée, je m'étais dit avoir affaire à un poème ; l'eau en avait effacé des pages, par quart, demie ou bonne moitié ; le tout se constituait, au fil des recto-verso plus ou moins délavés, de quelques émergences de grec et de leur traduction dans une langue qui m'était accessible ; je le mis à sécher au soleil avec les autres ; quand ils furent secs, je les rapportai dans la caverne, sous des presses de roches afin d'en vaincre les gonflements ; sitôt leur allure devenue acceptable, je les parcourus de-ci de-là, au moment de mes pauses, et avant le sommeil, et souvent le dimanche dans ces méditations qui servaient d'épilogue à mes lourdes semaines ; les registres, effacés en grande part, étaient des livres marchands, comptabilité, stocks et décomptes de toutes sortes ; ils répertoriaient aussi d'autres récoltes peu explicites sur des rivages lointains ; l'encre en avait disparu ou ne dessinait plus qu'une ombre subliminale ; les autres étaient des ouvrages de divertissement, sans doute récits, contes, fabliaux et romances ; s'il était impossible de les lire, on pouvait en revanche contempler leurs images, lesquelles avaient si bien résisté à l'eau qu'elles s'étaient mises à peupler mon esprit ;

les seuls à conserver leurs lignes d'imprimerie étaient mon fameux petit livre, et un autre ouvrage, tout aussi mince mais de taille supérieure ; ils avaient flotté côte à côte dans la jarre, résisté de manière presque identique à l'eau ; ces coïncidences en faisaient à mes yeux des jumeaux ; on pouvait les lire en de nombreux endroits, mais ils ne comportaient que des phrases solitaires, vers obscurs, mots bizarres, formules énigmatiques, courts paragraphes opaques, qui ne racontaient rien... ; ces fragments épars, sans queue ni tête pour mon pauvre entendement, avaient bien convenu à mes lectures toujours très brèves, inspirées par l'ennui ou par l'obligation d'un exercice mental ; au fil du temps, sentant mon esprit partir à la dérive, je m'y étais livré de manière opiniâtre ; il était important que ma pensée travaille et maintienne un peu de réflexion autour de quelques phrases ; bien qu'insensible à la poésie, j'avais connu une espèce de plaisir à lire et à relire ces vestiges sauvés des eaux ;

... je me suis cherché moi-même...

... il faut dire et penser : il y a être...

au fil des saisons, les ouvrages à fabliaux s'étaient effrités ; leurs images n'avaient subsisté que par reflets fantômes ; malgré mes précautions, leur papier s'en était allé en poussières entre mes doigts ; j'avais eu beau les enduire de colle, ou protéger les pages atteintes dans des écrins de feuilles, ils avaient fini en miettes dans une calebasse ; le petit livre de cuir noir, lui, avait vaillamment résisté, en revanche son frère de texture différente fut assez vite sensible au chemin des poussières ; l'idée de le perdre me fut insupportable ; pour sauver ses fragments, je les avais recopiés sur les parties effacées de son alter ego ; ce transfert de l'un vers l'autre me prit plusieurs années ; lettre par lettre ; mot par mot ; quand un paragraphe ne tenait pas dans un emplacement disponible, je le poursuivais ailleurs; cette tâche de copiste m'avait occupé de manière secondaire, l'urgence allant aux besognes de survie et aux plans incessants pour m'évader de ce piège; l'ouvrage avait fini par disparaître, mais j'avais pu transférer sur le petit livre noir tout ce qui pouvait l'être; mes transcriptions s'y disposaient dans tous les sens, au gré de mes humeurs, et sans doute de mes dérives mentales; elles n'avaient pas été exécutées avec la même encre; certaines ayant très vite pâli, j'avais dû les reprendre avec mille autres compositions à base d'encre de seiche et de roches broyées; souvent, quand une des pages se trouvait en péril, j'en avais découpé les fragments pour les coller direct dans l'étrange petit livre, aux endroits délavés : les encres bariolées, les écritures changeantes et les collages de fortune lui avaient conféré une allure de grimoire;

... il est tout entier le même...

... le soleil est nouveau tous les jours...

*... tout entier il est empli d'*être...

pour sauvegarder mon petit livre, je le mettais à l'abri dans une calebasse spéciale, au couvercle rendu étanche par de la cire d'abeille; régulièrement, je lui passais un chiffon imbibé de rhum et d'une herbe amère qui tuait la vermine; il était d'une telle solidité que rien ne put jamais le disloquer; même lors de cyclones durant lesquels la caverne fut envahie d'embruns, il ne souffrit que peu; il séchait sans encombre; ne connut d'agression que parfois du poinçon d'une bestiole, parfois d'une tache de moisissure, mais rien qui jamais puisse le mettre en danger; au fil du temps, mes encres étaient devenues stables, et leur lecture aisée, même à la lueur de mes piteuses chandelles; par précaution, je renforçais souvent les pleins et déliés, ce qui me permettait de mieux mémoriser ces mots, phrases et bouts de phrases que je me répétais au fil de mes tournées ou que j'utilisais pour mes pancartes et autres proclamations d'empereur solitaire;

... de voie pour la parole, ne reste que : il y a ...

... si tu n'espères pas, tu ne trouveras pas l'Inespéré, lui qui sans cela est introuvable, et sans issue...

au fil des années, le petit livre était devenu pour moi d'un infini précieux; j'étais sorti de l'exercice mental, pour injecter ses mots dans les semailles du vent ou les faire résonner dans la grondante acoustique des cavernes; le plaisir avait surgi ainsi, enfantin, ludique, sonore et inutile; j'avais alors changé ma perception de ces choses imprimées; pour moi, l'écrit avait toujours été affaire de comptes et de décomptes, de registres et d'enregistrements utiles aux armateurs pour le suivi de leurs affaires; j'avais dû être plutôt un homme d'action; et si je savais lire-écrire ainsi que je l'avais réalisé, cela n'avait jamais dû constituer mon actif principal ni ma charge favorite — pourtant cela devint le cas dans cet exil sans fin;

VOIX UNE

... le même lui est à la fois penser et être...

172

... éveillés, ils dorment...

je m'étais mis en le lisant à entendre deux voix, deux
murmures, deux soupirs, deux intonations distinctes;
ces fragments conservaient la vibration de deux
personnes que je finis par distinguer sans nulle hésita-
tion; c'étaient des consciences sans corps et sans visage,
d'une infinie sensibilité, à la fois torturées et empreintes
de quiétude; venues des temps anciens, elles continuaient de vivre dans une tranquille autorité, amie de
la sagesse;

VOIX UNE

... ce m'est tout un par où je commence,
car là même à nouveau je viendrai en retour...

VOIX DEUX

... mais il faut se souvenir de celui qui oublie où mène le chemin...

j'ignorais si ces deux êtres se connaissaient, si dans
leur temps ils s'étaient rencontrés, ou à quel degré ils
s'étaient entretenus l'un avec l'autre, répondu ou
contredits l'un l'autre, mais ils m'avaient semblé pratiquer cet échange dans ce rapprochement forcé au cœur
du petit livre; je les savais étrangers à mes préoccupa-
tions; en même temps, ce que j'avais vécu de jour en
jour dans cet exil irrémédiable m'avait renvoyé sans
nulle distance à eux; leurs expériences ombragées,
ombrageuses, m'étaient transmises sans dévoilement,
offertes mais sans jamais se mettre à ma disposition;

elles m'avaient éclairé de leurs ombres; enténébré de leurs lumières secrètes; permis par je ne sais quelle voie de résister à ces tempêtes mentales que j'avais endurées au fil de ma raide solitude;

VOIX UNE

... nécessaire est ceci; dire et penser de l'étant l'être;
il est en effet être, le non-être au contraire n'est pas :
voilà ce que je t'enjoins de considérer ...

mais des deux, la voix la plus énigmatique, la plus intraitable, et le son le plus rêche, surgissait des fragments originaux du petit livre lui-même; je l'avais appelé le poème des poèmes, *poème inaugural,* celui qui générait ma bibliothèque portative à deux voix; il était le seul dont j'avais deviné un nom sur une des pages de garde, quasi effacé lui aussi; au début, un nom d'auteur ne présentait pour moi aucune sorte importance; j'étais juste à la recherche de mots et de phrases pour me tenir la gorge et bouger mon esprit; quand la voix s'était élevée, puissante et singulière, j'avais désiré la connaître, et bien sûr lui attribuer un nom; j'étais alors parvenu à recomposer les lettres d'imprimerie en les suivant point par point, et en les renforçant du bout de ma plume d'aigle; le bonhomme devait s'appeler *Parménide,* ou *Parménile*; j'étais resté à hésiter longtemps entre ces deux possibles, puis je m'étais arrêté à « Parménide »; pour des raisons indécidables ce nom convenait à cette voix que j'entendais monter des extraits imprimés; l'autre voix, recopiée par mes soins, bien plus fluide et mobile, lui tournait le dos, ou s'efforçait de lui résister, en tout cas elle avait toujours semblé l'entendre et s'être mise en mouvement en lui étant à jamais attentive... ;

VOIX UNE

... ce n'est certes en rien un sort funeste
qui t'a mis sur cette route
(car elle est à l'écart du sentier des hommes),
mais la justice et le droit...
or il faut que tu sois instruit de tout,
du cœur sans tremblement de la vérité, sphère accomplie,
mais aussi de ce qu'ont en vue les mortels,
où l'on ne peut se fier à rien de vrai...

VOIX DEUX

... les hommes éveillés n'ont qu'un monde,
mais les hommes endormis ont chacun leur monde...

j'avais sacralisé le petit livre de mille manières ; d'abord, en le lisant chaque soir juste avant mes sommeils tourmentés ; ensuite, lors des cérémonies à l'aube, ou devant ma pitance du matin, j'en avais ânonné des passages ; d'autres fois, je l'avais installé devant moi, le contemplant dans sa noirceur sans concession, persuadé d'être en face d'une vraie bibliothèque ; fasciné que dans si peu d'espace aient pu se tenir deux grandes voix différentes, tant de mots et de sources d'images ; dans mes délires, je lui avais construit un tabernacle où l'exhiber telle une hostie de haute humanité ; je le déposais en belle cérémonie sur un autel situé au fond de ma caverne, aux côtés des effigies d'ancêtres, des objets « de famille », et d'un fatras de petits symboles qui m'instituaient chacun maître de ce quignon de terre ; paré de

175

peaux somptueuses, il m'était arrivé de le porter à travers l'île, le tenant à bout de bras, et proclamant tous les dix pas quelques-uns des fragments ; de retour à la caverne, je le restituais à son tabernacle et le saluais comme un ami divin ; mon esprit avait toujours été changeant : tel objet adoré pouvait se retrouver en disgrâce en un rien de moment ; lui, avait traversé les périodes les plus folles en demeurant une chose à part, distante mais nécessaire à mon esprit qu'il intriguait sans cesse ; j'avais eu beau, durant des temps moins respectueux, retranscrire ses fragments sur des parois de grottes, les graver dans l'écorce des gommiers, en tirer mille pancartes et autant d'inscriptions, il était resté un petit bloc opaque, rayonnant d'une beauté sauvage qui me rappelait vers lui au moindre éloignement ; il fut vraiment de ces solidités qui me servirent d'étai pour me maintenir debout ;

VOIX UNE

... les filles du Soleil, qui avaient délaissé les palais de la nuit,
couraient vers la lumière en me faisant cortège,
écartant de la main les voiles qui masquaient leurs têtes...

VOIX DEUX

... vivre de mort, mourir de vie...

l'idiot que j'étais l'avait bien souvent empoigné avec l'idée de le « comprendre », de déchiffrer mot après mot les fragments qui parsemaient les pages délavées ; le petit livre avait toujours résisté à ses « explications » ; il avait eu beau se les dire à lui-même, les méditer durant ses travaux de maître fondateur, impliquer des bouts de texte dans ses grandes œuvres de construction — d'autant plus exalté que pour lui les Grecs anciens étaient l'âme de la vieille frégate, qu'ils se trouvaient au fondement de l'idée même de civilisation —, à son retour il retombait tel quel dans ce bloc posé-là, qui le regardait fixe, plus impénétrable qu'une nuit sans lune, et tout aussi bruissant de vies secrètes et de mystères;

*

j'en repris une lecture assidue en cette période où je me sentais entouré de *présences*; sans trop savoir pourquoi, me sentant en connexion privilégiée avec l'entourage, je voulus lui trouver une place, et surtout déterminer ce qu'il pourrait m'adjoindre dans cette fièvre nouvelle; sans doute aussi parce que ses voix apparaissaient maintenant comme étant deux *présences* tangibles, tout aussi fabuleuses que celles qui surgissaient à tout moment autour de moi; je me mis à le relire avec cette sensibilité autre que je sentais me transformer; je procédai de manière différente : lecture intérieure d'un fragment, puis énonciation à voix basse, puis à voix haute, puis répétition infinie sous différents modes vifs, avec l'idée d'en surprendre un sens que l'accélération m'aurait débusqué comme un lièvre; mais rien; pas le moindre accès; opacité totale; j'eus même la sensation qu'elle s'était renforcée; chaque fragment demeurait un petit bloc obscur qui ne me regardait même plus, mais qui semblait s'ébattre dans le frémissement continu des herbes et des grands arbres; chaque fragment était là, vibrant d'une tonalité singulière, comme un insecte appelé à quelque métamorphose, et créant dans son rapport aux autres une majesté chaotique et troublante;

... il est sans commencement ni fin,
puisque génération et destruction ont été rejetées au loin...

... rien n'est permanent, sauf le changement...

je le lus malgré tout et le relus encore, abandonnant toute idée de « comprendre », juste en vivant son rythme, ses sensations et couleurs, et les laissant aller en moi par les connexions que je tissais sans cesse avec le vivant d'alentour ; je sentais sa *présence*, à la fois une et double ; le petit livre était là, avec moi — pas seulement par ce qu'il constituait comme objet (petit, compact, noir) mais par un dégagement dans les cavités de mon front où il avait si souvent résonné, dans ma poitrine où il avait grondé durant toutes ces années ; sa *présence* se déployait de manière tellement extraordinaire à la rencontre de celles qui composaient toute l'île, qu'un matin je le refermai, puis le tenant à bout de bras au-dessus de ma tête, je me mis à proclamer de mémoire chacun de ses fragments dont je possédais maintenant une connaissance parfaite ;

me livrant corps et âme à cette proclamation, je sentis combien l'île lui était attentive ; les fragments dans leur continuité renforçaient ses lignes, ses crêtes, sa densité, sa profondeur, son étendue ; chaque fragment achevait de la révéler en une immense *présence* elle aussi, protéiforme et composite ; j'eus bientôt la sensation d'avoir une dynamique de puissances posées en face de moi, tournant autour de moi, me traversant de partout ; les fragments se diffusaient dans cette mosaïque avec une aisance incroyable, en remplissaient les interstices comme un révélateur, ou comme la matière d'un ciment invisible; leur étrangeté s'accordait parfaitement à cette réalité qui ondoyait autour de moi; dans cette proclamation, ma voix elle-même avait changé, je ne reconnaissais plus son timbre : les mots du petit livre se concrétisaient autour d'une pulsation interne comme des êtres autonomes; ils s'en allaient inscrire leurs résonances dans ce faisceau de connexions qui, sous leurs effets, resserrait l'île en son entier comme un anneau de force autour de ma personne; c'était cela l'étrange : *je percevais l'île dans une nouvelle et très mouvante totalité*; chacune des *présences* contenait la quintessence d'une totalité qui lui était plus vaste; elle ne commençait nulle part, ne s'étirait dans aucune perspective, paraissait tout entière dans chacune de ses *présences,* et tout autant bien au-delà d'elles; l'île m'était donnée dans une flamboyance inouïe que les mots du petit livre semblaient heureux de révéler; je me rappelai alors ces perles que l'on trouve dans la chair des grandes huîtres; il était dit qu'elles constituaient à l'origine le lieu d'une blessure : des grains de sable qui s'étaient insinués dans leur spirale, ou que certains sauvages leur avaient introduits, et que ces animaux neutralisaient au fil des ans dans une prison de nacre; je ne savais pas si cette île allait faire de moi quelque chose de semblable — *douleur et blessure transformées en beauté*; ce qui était sûr, c'est qu'elle m'enveloppait comme elle enveloppait chacun de ces fragments dont je l'éclaboussais alors; dans ma vanité, j'avais pensé que c'était moi qui projetais mille connexions vers elle, mais en retour je perçus une telle emprise qu'il fut évident que c'était elle qui se nouait à moi, qui m'avalait impitoyablement; je sentis la déroute de mon cœur;

179

puis je m'abandonnai à l'idée d'être une perle dans la chair de cette île ; sans doute était-ce le prix à payer pour devenir à mon tour une *présence* dans le concert avec les autres... ;

du coup, je proclamais les fragments avec encore plus de joie, de force et d'amour, plus d'*espérance* aussi ; je les lui offrais comme une acceptation de ce qu'elle allait faire de moi ; sans avoir à m'en convaincre, je me répétais sans cesse que c'était un organisme vivant, pas une île désertée ; pas une prison hostile mais une vie qui avait réussi à se sortir d'une lave sans âme ; qu'elle avait su attirer des oiseaux et des millions de bestioles, utiliser le vent, les poussières, le pollen, mobiliser ce que l'océan lui amenait sans cesse depuis des millénaires, et les accepter dans sa terrible mosaïque de *présences*... ; je lui avais été amené aussi nu que le plus insignifiant des crapauds, n'importe quel fruit, n'importe quelle plante, pas plus ni moins que tout cela, et elle allait faire ce qu'elle voulait de moi ; l'idiot avait sans doute senti cette vigoureuse aspiration ; il avait déployé ses grossiers artifices contre cette crainte d'être avalé ; moi, je la conjurais et l'acceptais dans le même temps en proclamant les fragments du petit livre dans l'urbi et l'orbi : priant pour qu'ils puissent constituer la substance de ma nacre ;

VOIX UNE

... inengendré il est aussi impérissable ; il est en effet
de membrure intacte, inébranlable et sans fin ;
jamais il n'était ni ne sera, puisqu'il est maintenant,
tout entier à la fois, d'un seul tenant ;
quelle génération peut-on rechercher pour lui ?

180

... on ne peut pas descendre deux fois dans le même fleuve;

à mesure que j'errais en hurlant des fragments, je décrochais les débris de pancartes, les restes de panneaux, les lambeaux de dénominations pompeuses ; je jetais à bas les vestiges de canalisations ; aucune loque de rempart ne devait exister entre moi et cette île ; je lui offrais sans réserve ce que j'étais, avide de devenir, avide de ce futur qu'elle m'imposerait d'une impérieuse enveloppe ; je disais les fragments aux oiseaux, aux cabris, aux racines, je les chantonnais au-dessus des promontoires ; dans les endroits où le vent se faisait vagabond, je les prononçais sur de très longues expirations pour les voir s'envoler comme des aigles ; le soir, je m'endormais en les baragouinant, et me réveillais la bouche mousseuse en m'entendant les balbutier encore... ; cette transe aurait pu s'étaler sur des siècles et des siècles si l'île ne s'était électrisée d'un coup... ;

*

d'abord, un grand silence, durant un nième de seconde ; puis la terre se mit à onduler, les arbres à se mouvoir comme l'aurait fait une foule ; les oiseaux avaient pris disparaître ; pas une bestiole ne bougeait dans les proches environs ; un sauvage ondoiement de tout ce qui était fixe submergea mon esprit éberlué ; des dragons se cognaient sous les roches et les racines profondes ;

l'île avait décidé de m'avaler d'une pièce ; je fus précipité au sol ; un grondement jaillissait de la terre par bouffées bouillonnantes ; le sol se déhanchait, s'écartelait d'un coup, projetant des chevelures fantomatiques qui flottaient comme des brumes avant de retomber comme de la tourbe brûlante ; une éternité aux abois n'arrêtait pas de s'accoucher elle-même ; dans une terreur totale, je demeurai au sol, là où j'étais tombé, percevant des sillages de craquements, d'écroulements affolés, de roches hurlantes qui s'élançaient vers la surface... ; le sol s'agitait comme cela depuis déjà mille ans, quand tout d'un coup il se calma ;

je ne bougeai pas non plus ; yeux clos ; serrés serrés serrés ; le corps tendu dans la crainte que l'île ne recommence ; des odeurs inconnues tourbillonnaient à vide ; des souffles chauds menaient des voltes dans tous les sens ; mon appréhension se fit plus forte ; l'île avait mué comme certaines chenilles ; une entité inconnue se dressait au-dessus de moi dans une réalité à coup sûr terrifiante ; je fermai un peu plus les yeux et restai pétrifié pour ne pas me faire dévorer ; la nuit dut arriver ; je dus m'endormir, les yeux hagards collés au mur de mes paupières ; la lumière du matin devint sensible sur ma peau sans doute écorchée vive, mais aucun chant n'escortait le soleil ; l'étrange silence était plus que jamais là ; effrayant ; sans matière ; sans distance ni écho ; sans devenir possible ; tourmenté par cette désespérance, je demeurai ainsi durant une charge d'heures avant d'oser seulement entrouvrir les paupières ;

tout gisait dans un saccage atroce ; les arbres étaient martyrisés ; ma caverne à moitié effondrée ; mon fromager se tenait de travers...; des transformations spectaculaires avaient décomposé le paysage autour de moi; plus rien n'était à la bonne place; plus rien n'était en place; je me sentis dépourvu d'équilibre; coupé d'attaches et de repères, j'abandonnai l'idée de me remettre debout, et me contentai de ramper comme une bête aux abois dans un marais mouvant; mes connexions avec les *présences* avaient disparu; d'ailleurs, je ne percevais plus une seule d'entre elles; je ne percevais rien, sinon un lot d'absences qui s'étaient envasées comme des épaves; j'étais seul; accablé d'une solitude de bois brûlé, au cœur d'une « chose » qui m'environnait sans chant, sans bruit, sans teinte et sans odeur, sans profondeur aussi; une réalité plate, étrangère, semblable à un tombeau pillé, sur laquelle je me mis à hoqueter de désarroi; seigneur, l'île avait basculé bien au-delà du pire désenchantement...;

JOURNAL DU CAPITAINE

2 septembre – En l'an de grâce 1659 – Ces jours derniers, nous avons longé deux ou trois îles, sans trop de certitude quant à savoir si nous étions bien dans la bonne direction. Il y en a tellement! La menace des cayes est si mal indiquée sur les cartes disponibles que peu nombreux sont les pilotins qui osent barrer dans ces eaux-là. Cette zone a triste réputation dans les grandes Compagnies. Moi, dans le temps de ma jeunesse, j'avais été forcé de m'y aventurer, et je l'avais fait avec cette habileté qu'offre parfois l'inconscience. Voilure réduite, à sondes constantes, je m'efforçais de m'en tenir aux repères que nous avions suivis par le passé et qui à l'époque nous avaient réussi. Le pilotin pas rassuré me toisait à gros yeux, et je lui souriais pour signifier combien j'avais coutume de m'en remettre à ma bonne étoile.

4 septembre – En l'an de grâce 1659 – Au petit matin, nous avons retrouvé l'île sans encombre. J'ai pu en examiner les côtes dans ma lunette d'approche. Rien ne ressemble plus à une île qu'une autre île. Des pitons. Des falaises dégoulinantes de verdures. Cris de singes. Vacarmes d'oiseaux qui égratignent à peine un silence ancestral. Masse verte, sombre, souvent secrète et menaçante comme des écailles de monstre... Vide... Absence... Vitalité sans âme... Aucune trace de vie humaine, rien qui signale ne serait-ce que le passage ancien d'une bande de sauvages. C'était pourtant elle... mais vide...

J'en étais déçu, mais quelque chose me disait d'insister. Ces intuitions de prime abord absurdes m'avaient toujours offert des bienfaisances imprévisibles. L'intuition fréquente les secrets du réel. Au grand dam du pilotin, j'ai ordonné de multiplier les sondes, de doubler les scrutateurs sur la question des cayes, et de manœuvrer autour de l'île, dans l'espoir de retrouver la petite anse où l'événement s'était produit...

5 septembre – En l'an de grâce 1659 – L'équipage se demande ce que je suis en train de faire... Ce serait si long à expliquer...

3. L'artiste

il y eut plusieurs jours de ce silence et de ce calme étranges ; les bestioles les plus courantes avaient disparu ; en revanche, je voyais débouler de petites existences tortillantes, à mille pattes, qui me forçaient à des reptations folles, tellement j'avais souvenir de la brûlure de leur venin ; je rencontrais aussi moult lézards aux yeux morts, des araignées hirsutes très craintives des lumières, et beaucoup de serpents dont les écailles vitreuses paraissaient ramollies... ; cette engeance qui devait végéter dans la ténèbre du sol allait maintenant en déshérence sous la frappe du soleil ; de fait, j'en vis jaillissant des crevasses et des cratères surgis du chavirage des arbres gigantesques ; ces monstres gisaient écartelés, dans des nouées de feuillages, exhibant une indécence de racines pâles et de sanglots de sève ; je voyais l'affolement des peuples de fourmis, parmi des créatures indénombrables qui semblaient faites d'humus et de petites angoisses ; je rampais au hasard, appliqué à fuir quelque chose dont j'ignorais la nature ou l'emplacement exact, tant et si bien que chaque pas m'en rapprochait autant qu'il était censé m'en éloigner ; le danger me poursuivait partout ; j'étais incapable de

189

penser ; incapable d'arrêter le sifflement de mes oreilles ; incapable de maîtriser les tiraillements de mes joues ; le choc avait été si rude, tant d'anormalité s'étant produite d'un coup, et de manière tellement exagérée, que la stabilité revenue demeurait une énigme ; il me fallut deux ou trois soleils pour me remettre debout ; et presque autant pour tenir un semblant d'équilibre ;

je reconnaissais à peine les lieux que j'avais pourtant si longuement administrés ; mes cabris, mes boucs, mes poules, mes perroquets s'étaient égaillés tout partout ; j'en trouvais transis dans des troncs éventrés, prostrés dans des ravines étroites, tremblants dans des broussailles enchevêtrées ; tous semblaient attendre je ne sais quoi avant d'oser une vie normale ; une raréfaction d'existence ne leur autorisait qu'un fil d'expiration et des hoquets d'inspiration ; d'autant que la terre n'arrêtait pas de frissonner, ou d'éprouver des spasmes qui semaient à chaque fois une panique générale ; dans mon esprit secoué, les choses avaient du mal à retrouver leur place ; maintenant que j'avais vu les arbres se déplacer dans des charrois de terre, le sol se faire océanique, toute immobilité me paraissait suspecte ; l'herbe dissimulait des vertèbres de dragon prêtes à se torsader ; je soupçonnais les mornes d'être des crânes de gorgones enfouis sous une pelure de roche, attentifs au moment de surgir en sifflant ; j'avançais donc, comme sur un sable dont chaque grain serait une mâchoire potentielle, en assurant mes pas avec un grand souci, et prêt à me jeter au sol sitôt le moindre frisson ; les insectes se déplaçaient comme moi ; les oiseaux, sans doute par grande méfiance de l'air, sautillaient d'une ombre à l'autre comme pour anticiper un invisible bond de l'île tout entière... ; des jours passèrent ainsi, bien plus vite que les nuits car celles-ci ne faisaient qu'épaissir les tourments ; je dormais au mitan d'une savane dégagée, loin de tout arbre, ou de toute falaise capable de receler des nuées de minotaures ; j'ouvrais les bras et les jambes en équerre afin de ne point disparaître dans une trouée soudaine ; j'allais même jusqu'à m'attacher avec mon baudrier à de petits arbustes, en sorte de résister à une gueule de terre si celle-ci s'en venait à surgir ;

*

l'impression de dévastation dura très longtemps ; je finis par m'y habituer, au point de ne plus me souvenir de l'île d'avant le tremblement ; les pluies lavèrent ; le soleil sécha ; l'eau réveilla les sources et les rivières, réanima la terre blessée ; la lumière déversa ses provendes invisibles ; il se produisit une germination générale, très intense, hystérique, qui se voyait partout ; là où de grands arbres s'étaient effondrés surgissaient une infinité de pousses et même de petits arbres qui, libérés d'une quelconque emprise, s'empressaient de grimper en branle-bas vers le ciel ; les fleurs aussi revinrent avec une profusion pas normale, comme si elles se dépêchaient de remplir les vides et les blessures avec la matière de leur propre existence ; je finis par réaliser que les oiseaux avaient repris leurs envols et leurs chants, que des frénésies amoureuses émulsionnaient les fleurs et les grappes de fruits, et que pas une branche propice, inaccessible aux prédateurs, ne se voyait sans une surcharge de nids, de cocons, de chants de guerre et ritournelles de territoire ;

191

ils n'étaient pas les seuls à rechercher une renaissance ; je faisais la même chose, mais plutôt que de remplir du territoire, je poursuivais cette renaissance en moi ; ma quête s'attachait à l'ivresse éprouvée durant ces derniers temps — cette bénédiction qui m'avait mis en connexion sensible avec la moindre des herbes, me gratifiant du contentement sans précaution que connaissent les enfants ; mais là, dans ces déambulations hagardes, je me découvrais désappointé du plus profond, et dépourvu de toute force désirante ; mes os s'étaient creusés ; ma poitrine n'agitait qu'une haleine animale ; mon cœur n'était plus accroché ni accordé à rien, et bondissait sans cesse comme une voilure tendue ; quant à mon crâne, seigneur, il n'abritait plus qu'une stupéfaction qui gobait une à une mes pensées ; il m'était insupportable de ne plus ressentir ce contact privilégié que j'avais éprouvé avec autant de force ; à coups d'images factices et d'émotions forcées, je tentais de réinstaller les *présences* en moi ; cela ne donnait rien ; la nouvelle germination de l'île, tellement exceptionnelle, ne me ramenait pas cet effet mystérieux où j'avais ressenti une *présence* une et multiple, se déployant comme une enveloppe autour de moi ; si quelque chose surgissait en tremblant, ce n'était que pour se voir dévorée par l'absence — une contagion lourde, éteinte, visqueuse comme une terre inerte ; malgré la beauté des fleurs, la démultiplication des fruits, la magie des essaims, les vols foisonnants des oiseaux, et malgré la solennité des vieux arbres survivants, je restais en dehors de tout ça, flottant à part, ne flottant nulle part, dans un néant qui ne m'ouvrait à aucune émotion, à aucun sentiment, à aucune source capable d'animer mon esprit ;

*

c'est dans cet état que je retrouvai la plage des commen-
cements, là où j'avais découvert l'empreinte ; j'ignore
pourquoi j'étais revenu là ; sans doute étais-je en train de
basculer dans un autre commencement et me fallait-il
rejoindre ce lieu de l'origine ; c'est étrange comme l'origine s'impose quand il faut en quelque sorte renaître et
tout recommencer... ; *par quel mystère le point de commencement ne se voit-il jamais dépassé ?...* ; bien entendu, seigneur,
cette question essentielle ne me viendrait que très longtemps après ; au moment où je m'aventurais dans la zone
de l'empreinte, je n'étais pas dans cet état d'esprit ; je
n'étais d'ailleurs dans pièce état d'esprit ; j'avançais simplement ; je ne m'attendais à rien ; la plage avait été
dévastée ; après le tremblement, une vague folle avait dû
s'abattre sur cette rive à pleine force ; des restes verdis de
la frégate surgissaient de l'écume et du sable ; des tibias
exhumés des profonds éclataient de blancheur dans le
tranchant solaire ; des algues étaient montées des abîmes ;
des milliers de poissons, de crabes et de coquillages pour-
rissaient de concert dans un remugle sans doute insoutenable ; je contemplais cette désolation sans un émoi, sans
aucune gêne, tellement mon esprit demeurait immobile ;
néanmoins, c'est avec un resserrement du cœur que
mon attention fut aimantée vers un endroit précis ; aux
premiers pas de mon approche, sous une semaille d'algues et d'écailles de langoustes, je devinai une forme
familière ; j'eus vite fait de la dégager du pied et de
reconnaître l'empreinte ; elle ne devait plus être là, pourtant elle était là ; mon esprit ne contesta en aucune
manière cette absurdité : l'empreinte était là, intacte : je
ne l'avais ni abîmée, ni effacée de la surface du monde ;

je restai longtemps figé avant de m'agenouiller, et d'achever de la dégager ; dans une placidité lente, je m'allongeai près d'elle comme un dévot à l'abord d'un autel ; c'était bien elle, toujours prise dans une concrétion d'argile quelque peu momifiée ; lors de ma vive émotion, je n'avais sans doute que dispersé une croûte de sable accrochée à ses crêtes ; la croûte s'en était allée, la laissant écorchée vive ; la forme de base restait emprisonnée dans une argile ancienne que la grande vague d'après le tremblement avait bien dénudée ; l'argile était maintenant bleuâtre, striée de veinures jaunes très fines, et tachetée de matière noire semblable à une glaise primordiale ; le plus étonnant, c'est que l'empreinte m'était étrangère ; sans lui être différente, elle ne ressemblait pas à celle que j'avais si longtemps observée, et dont je conservais une mémoire ardente ; là, elle était nue, lointaine, froide peut-être, et à coup sûr inerte ;

je la regardai dans tous les sens, m'allongeant sur sa gauche, me contorsionnant sur sa droite, la chevauchant, les bras plantés de part et d'autre pour la fixer de haut ; je finis par m'asseoir en face d'elle, en sorte de pouvoir y déposer mon pied ; ce que je fis sans encombre ; mon pied s'y adapta une fois encore ; et je restai ainsi, immobile, attentif, comme si je m'attendais à ce qu'elle s'anime et m'enveloppe la cheville ; bien entendu, rien ne se produisit ; je sentais l'argile se maintenir sous la peau frémissante de mon pied, roide, tiède en surface et plus froide au profond, sans résonance, telle une roche mille fois morte, cuite et recuite par le soleil et par les âges ; je demeurai ainsi, sans excitation particulière, sans émotion funeste non plus ; je m'appuyai le torse sur la cuisse relevée, enserrai mon genou de mes bras, et penché sur elle je continuai à contempler mon pied ajusté dans la forme ; c'est alors que les distorsions se produisirent... ;

observant tout cela de plus près, je m'aperçus que mon talon, ma voûte plantaire et mes orteils n'épousaient pas l'empreinte d'une manière impeccable ; en bien des points, les lignes argileuses s'en écartaient ; en d'autres, elles disparaissaient sous mon pied frémissant ; il y avait du vide sous mon talon ; les creusements supposés des orteils débordaient bien en deçà des miens... ; un égrenage de décalages infimes s'accumula dans ma conscience, jusqu'à laisser admettre que non seulement cette forme n'était pas la mienne, mais qu'elle pouvait provenir de diverses contingences ; son rapport avec une arcade plantaire, un talon, des orteils, n'était en fait qu'un possible parmi d'autres possibles que mon esprit avait hâtivement écartés ; et le pire, c'est que maintenant soumise à ma placide lucidité, elle avait tout autant de raisons de ne pas être humaine ;

*

je restai allongé-là durant plusieurs jours, sans bouger ; avec comme unique perception l'empreinte fixe, immobile dans le sol, inanimée, sans forme définitive ; ce vide de mon être en face d'elle, ce vide qui montait d'elle, me remplissait d'un malaise infini ; je tentai d'imaginer quelque fable de monstre marin sortant de l'eau, foulant cette plage lors d'une quelconque tempête, et laissant cet impact dans cette argile trouble ; j'imaginais aussi le choc d'un de ces bouts d'étoiles qui parfois tombent du ciel, qui aurait frappé-là, à tel point que je me mis à racler le sable sur quatre coudées pour tenter de mettre au jour la preuve d'une mitraille céleste...; mais cette pathétique agitation n'atteignait pas mes chairs, ni même ne gagnait le centre de mon esprit; *je me regardais m'agiter;* comme à distance, je découvrais une crainte trop familière prendre son éveil en moi, et je m'efforçais d'y répondre de manière tout autant familière : je voulais imposer à cette chose dans l'argile une signification sortie de mes émois; je ne supportais pas de la voir ainsi, atone, sans influence, sans rien qui puisse me concerner, et mon esprit s'efforçait de la recouvrir une fois encore d'une livrée de chimères; un tel malaise était pour moi tellement inconfortable qu'en certains instants brusques j'essayais de créer des dieux pour expliquer l'origine de cette chose, et mille petits démons pour la mettre en mouvement; j'allais jusqu'à chercher des hallucinations primaires que je voulais habiter, auxquelles je voulais me livrer tout entier, juste pour conférer une vie à cette chose; mais je finissais par abandonner ces niaiseries une à une, jeter par-dessus bord ces artifices contre la déroute, pour me retrouver nu, apposé à l'empreinte, la regardant à froid comme on détaille l'inconnaissable, avec le même vertige et le même désarroi...; au bout de je ne sais combien de temps, je m'en arrachai soudain et repartis d'un pas traînant vers l'île bouleversée;

*

je restai emprisonné dans ce malaise, actionnant ces réflexes qui avaient toujours soutenu mon existence; dérouiller un outil; graisser une arquebuse; profiter du soleil pour ranimer un résidu de poudre... ; je me lançai dans ces automatismes avec de faux entrains, sautillant de besogne en besogne, sans établir le moindre lien entre elles, sans jamais en achever aucune, ni surtout parvenir à m'y intéresser ; tout cela s'exerçait dans une désolation qui accablait d'absurdité la plus simple des envies... ; je trouvai malgré tout un fil d'occupation ; ma caverne s'était effondrée dans sa partie profonde ; mes étais de bambou avaient cédé sur diverses longueurs, et le lieu, zébré de petites failles, n'était plus sans danger ; dans une morne indolence, je récupérai de mes anciens trésors la juste nécessité ; puis, toujours sans entrain, je visitai quelques grottes de réserves dans l'idée d'y choisir un gîte de remplacement ; mes dispositions d'esprit étaient tellement vaseuses que je me rabattis sur une simple cavité ; j'y apportai un à un, sans ferveur, les objets de ma caverne centrale, mais j'en délaissai la plupart, tellement ils me parurent chaque fois incongrus ; je mis de l'ordre tant que je pus dans la pauvre cavité, et je m'en éloignai sitôt la nuit tombée : il m'était désormais impossible de trouver le sommeil sous un couvert quelconque ;

ma première nuit consciente d'après le tremblement fut pour le moins étrange ; son silence insolite ne laissait percevoir que le fracas de la mer ; je sentais les vagues disperser des coraux, emporter des falaises, grignoter des mangroves, creuser, creuser partout ; l'océan voulait enfoncer l'île dans des abîmes écartelés sous elle ; je crus surprendre la terre s'effriter sous mon poids, mais cette impression se dissipa de suite ; ce n'était qu'une chimère ; mon esprit se débattait ainsi ; le dos au sol, je fixais mon regard contre la voûte céleste ;

au lieu du spectacle ravissant, je reçus, seigneur, le choc d'un infini obscur, moucheté de scintillements immémoriaux, dans une impassibilité tellement dépourvue d'intention qu'elle me livra à une lente frayeur; là où j'avais toujours touché à l'harmonie divine, se tenait un implacable mystère : une chose sans existence, d'avant toute existence, et hors d'atteinte de tout possible; plongé dans l'hébétude, je restai en face de cela, yeux élargis, fixe, sans pensée, avec comme seul ancrage le tremblement de mes chairs : une démesure se déversait du firmament, évidait les grondements de la mer, remplissait l'île, et mon esprit dans le même temps, d'un *saisissement* irrémédiable; seigneur, excusez cette larme, mais ce saisissement fut difficile à vivre;

*

cela devint mon malaise coutumier; je n'accordais aucun regard à ces bêtes autrefois domestiques qui recherchaient mes soins; j'ignorais ces perroquets à qui j'avais enseigné deux-trois jurons et qui me poursuivaient en les reproduisant; j'étais dissous dans une lucidité semblable à une blessure — mais une blessure dénuée de consistance ou de douleur; je pouvais demeurer immobile pendant des heures à regarder un arbre insignifiant, à vivre l'atmosphère d'une ravine, à rechercher le vent qui d'habitude racontait tant de choses; maintenant, il ne disait plus rien; le vent n'était même plus le vent : juste un dégagement de rien qui ne s'en allait nulle part; cette lucidité arrêtée sur elle-même me permit de comprendre à quel point l'idiot puis la petite personne que j'étais devenu avaient couvert ces existences et ces réalités de leurs propres artifices; je n'avais cessé de faire et de refaire l'île dans mon esprit ; mon mental avait mené une industrie inapaisable pour la recouvrir du voile de ses chimères, et se maintenir dans de faux équilibres ; là, dans mon étale lucidité, je ne percevais rien d'autre que ce que je voyais ; je pouvais voir passer les couples de tatous aux yeux rouges sans leur attribuer un quelconque dessein ; ou contempler des files de crabes-ciriques sans imaginer qu'ils changeaient de refuge ; le vol d'un mansfenil ou même les inconstances du ciel ne m'incitaient à aucune polka de l'imagination ; une limpidité sans tremblement me rendait étranger à tout cela, incapable de la moindre connivence ou d'une quelconque proximité, et pas du tout ému d'une quelconque distance avec quoi que ce soit ; je fus très effrayé de cela, seigneur, très effrayé ; *était-ce de ces mélancolies noires qui déciment les marins ?...* — mais je ne sentais aucun malheur en moi ; je m'endormais sans à-coups ; m'éveillais sans élan ; ne fréquentais aucun souvenir, ni aucun lendemain ; j'engouffrais mes journées dans des routines qui ne mobilisaient même pas un quart de mon esprit ; elles s'ouvraient sans projet, et s'achevaient sans une satisfaction ; mes gestes lents, appliqués, semblaient n'avoir jamais connu d'inspiration ardente ; c'était d'autant plus alarmant que l'île n'avait jamais été aussi fleurie, aussi généreuse en fruits, légumes, insectes, oiseaux et animaux divers... ;

un tel hosanna de vie n'en finissait pas d'attirer mon regard ; je regardais tout cela sans avidité, dans une absence qui envenima mon malaise devenu perpétuel ; je voyais les longues plaies de la terre se couvrir de verdure ; les gommiers tombés se redresser tout seuls, ou pousser de jeunes branches à partir de leurs flancs ; leurs vieilles écorces explosaient en bourgeons ; je regardais vivre des niches de bêtes-rouges affairées à construire sans fin un invisible, comme si leur grouillement n'échafaudait que le grouillement lui-même ; je surprenais des grappes de pluviers migrateurs qui s'abattaient sur l'île juste pour quelques heures, puis s'en allaient dans des souffles d'horizon ; j'avais longtemps été séduit par les migrateurs ; ils savaient le lointain ; ils n'étaient prisonniers d'aucune sorte de limite ; je les avais toujours vus arriver avec exaltation comme s'ils attestaient l'existence d'un monde au-delà de cette île carcérale ; les voir s'en aller m'avait régulièrement échoué dans la consternation et le soupir d'envie ; fils du vent, amis des grands espaces, tellement mobiles, tellement légers, tellement loin de cette souche à laquelle m'avait réduit cette île !... ; leur vie était pour moi une forme très achevée de l'existence, sans doute la haute manière de vivre une existence ; mais là, ces déboulées soudaines, ces égaillements fougueux, cette vitalité tournoyante qui se mangeait elle-même, me paraissaient une liberté qui ne relèverait ni d'un enfer ni d'un paradis, mais de rien, et pour rien : juste-là, intense, vibrante, démesurée, indifférente à quoi que ce soit, et sans un vœu d'accomplissement ; mais je les regardais juste, sans envie ni dégoût ;

le plus pathétique c'étaient les restes de mon illusoire splendeur : pancartes, parcs, réserves, fortifications diverses, grand-places pompeuses, avenues et comptoirs... ; n'en subsistaient que des lignes effacées sous l'alliance des broussailles et des bêtes déchaînées ; les champs de blé et d'orge dont j'avais fait fierté s'étaient dilués dans des végétations confuses, ils avaient sans doute changé de nature ou dérivaient vers une autre existence; j'en avais récupéré des graines en vue d'une chimérique replantation, mais de voir celles-ci dans le creux de ma main n'avait rien éveillé en moi, ni vision de farine, ni odeur de pain chaud, ni possible de boisson fermentée; rien; juste des graines obtuses, soumises à une fatalité dont elles ne savaient rien, et qui ne suscitaient aucun élan de mon esprit; les rats et les chats qui m'avaient si longtemps tracassé étaient maintenant inscrits dans une profusion naturelle dont l'infini et le détail me parvenaient sans distinction, dans une même justesse et une même ampleur;

*

face à cela, mon esprit tentait toujours de se créer des spectacles de survie; mais ce que j'élaborais dans un retour d'émoi ne devenait jamais une signification pour mes sens évidés; un jour, à l'aube, je tombai en arrêt devant un frémissement de petites géométries agglutinées entre elles en une forme globale dont les limites s'effritaient dans les souffles de l'air; cette forme ronde surmontait un élan droit, rugueux, épais, qui jaillissait du sol en se contorsionnant, et supportait la masse frissonnante; les petites choses étaient resplendissantes de ce qu'elles faisaient de la lumière, juste creusées en certains points par des flaques d'ombre intenses; cela ne ressemblait à rien qui me fût familier; j'éprouvai un très profond malaise devant cette émergence, et voulus me persuader qu'il s'agissait d'un vieux manguier — vieil arbre, ami de longue date — qui avait fait partie des *présences* avec lesquelles j'étais entré en connexion; je lui parlai, je le nommai, je le touchai; las!... l'étrangeté impassible reprenait le dessus, m'éloignait sans pour autant me repousser, me considérait fixe sans pour cela s'intéresser à moi; ces aspirations de lumière, ces flux que je sentais sourdre du sol pour investir cette chose, et à travers elle se diffuser de manière insensible, se tenaient sans effet devant moi; j'étais pris dans une nudité d'apparences que mon esprit ne pouvait régenter, ou même interpréter de quelque sorte que ce soit; j'avais beau déplacer mon regard, tout se constituait de même manière dans les proches environs...; c'est seulement ainsi que je me sentais exister dans cette île; dans un aléa de contacts qui ne composaient aucune sorte de rencontre; ce qui existait avec autant d'intensité n'était plus des figurines de mon théâtre mental, ni même des dérivés dociles de ma nature humaine; je ne savais pas ce que c'était, mais là l'humain n'existait plus, il n'était plus en mesure d'ordonner un ensemble, de dégager une cohérence; pas de nature, pas de paysage, pas de vivant, pas d'humanité postée dans une tour d'ivoire : que des saisissements de perception plus ou moins épars, inscrits dans un long et fixe indéchiffrable...;

les objets qui avaient si bien encadré ma survie me paraissaient désanimés; leur substance était allée se perdre dans la mémoire de la frégate; haches, pioches, scies, burins, équerres et tenailles... surgissaient de-ci de-là, à la manière de spectres, aussi inidentifiables que l'avaient été les cadavres en bouillie rejetés par la mer; les armes me faisaient le même effet; moi qui n'avais jamais mis le nez dehors sans un mousquet sanglé à mon épaule, je les abandonnais maintenant à leurs rouilles et usures, et n'envisageais plus de m'en servir pour quoi que ce soit; mes doigts seuls suffisaient à me nourrir; j'étais devenu habile pour piéger des oiseaux à la main, arraisonner un jeune rat-pilori, ou crocheter de l'index l'ouïe vermeille d'un petit squale dormeur ; les animaux ne percevaient plus en moi une possible menace ; ils m'approchaient dans une claire inconscience ; j'étais devenu de même nature que les grands arbres, de même feu que les fleurs, de même frisson que les herbes coupantes ; c'est vrai aussi que mon regard sur eux n'était chargé de rien ; nulle stupéfaction morbide ne me frappait pourtant : seulement un abrupt de perception d'où surgissait l'île tout entière, dans l'infini de son détail, la démesure de son ensemble, au beau milieu de ma conscience et hors d'atteinte de mon esprit ;

*

l'émergence gigantesque et atone que constituait cette île me ballottait entre un trouble nauséeux et des accès de malaise ; quand je n'y pensais pas, que je parvenais à une suspension de mon âme, cela m'emportait dans un ❧lent saisissement intérieur, semblable à ce que je voyais planté autour de moi ; j'étais alors en déshérence, dans un état que je ne commandais pas et qu'à la limite je ne percevais pas ; mais ce soulagement ne durait pas longtemps, le trouble, puis le grand malaise, reprenait le dessus ; cette île qui était simplement-là, et que mon esprit ne pouvait ébranler dans un jeu de chimères, me provoquait d'irrépressibles envies de m'enfuir n'importe où, d'inventer une voie de dégagement que mon esprit hélas tombé en ses absences ne pouvait plus offrir ; ne restait alors qu'un à-vif de l'angoisse ; *angoisse*, seigneur, *angoisse!...* ; j'avais choisi ce terme sans vraiment y penser — il correspondait bien à cette oppression que je sentais dans ma poitrine — mais au fil des saisons, je fus à même de mieux l'identifier ;

ce que j'appelais « angoisse » ne s'opposait à aucune joie, ne fréquentait aucune tristesse, ne gisait dans aucun dégât : une lucidité sans triomphe, une clairvoyance sans débouché — disons *une disponibilité crue,* dépourvue d'illusions, exempte d'émotions ; elle se contentait d'éliminer tout possible, de paralyser tout élan désirant, et par là-même se faisait invivable ; disons *impraticable* pour qui reste vivant ; or, j'étais vivant ; je voyais, je bougeais, je percevais l'entour, *je ne pouvais que continuer à vivre* dans cet espace dégagé et ouvert ; l'alternative était celle-ci : ou je demeurais hébété à rancir dans l'angoisse, ou je l'utilisais pour continuer à vivre sans illusions et sans chimères ; mon âme se vit donc acculée à un mouvement infime qui me resta longtemps imperceptible et qui demeurait comme ensouché dans cette angoisse inaugurale ; c'est pourquoi je versai doucement au désir de faire, de créer dans le libre, et d'agir dans le libre de cette nudité ; le déclic pour y parvenir me fut offert par ma petite bibliothèque ambulante — ce petit livre qui avait traversé mes désespoirs et mes orages mentaux ;

*

durant ces derniers événements, je l'avais gardé sans cesse auprès de moi, bien à l'abri dans une calebasse ; pour lui, mon nouvel état d'esprit n'avait rien modifié ; il conservait son impérieuse distance ; quand mes indolentes divagations me ramenaient aux abords de mon nouveau logis, je le reprenais aussi souvent que possible, durant des nuits de veille anxieuse ; maintenant, je le lisais dans le plus grand silence ; le petit livre avait vieilli, ses pages devenues jaunes conféraient d'imprévisibles nuances aux couleurs de mes encres ; je n'étais plus en demande envers lui, je ne voulais l'utiliser à rien ; l'avoir en main, le parcourir sans fin, n'était qu'une habitude que je voulus sans doute apposer à l'angoisse ; c'est alors peut-être qu'il s'ébranla dans une subtile métamorphose ;

VOIX DEUX

... Bien et mal sont tout un...

jusqu'alors, je n'y comprenais rien et je m'étais nourri de cette incompréhension ; j'avais même une fois pour toutes considéré qu'il n'y avait rien à comprendre, ce qui me permettait de l'adapter aux valses de mes chimères ; ne rien comprendre à ces fragments m'avait obligé à les couvrir d'usages plus ou moins délirants ; je les avais fuis comme cela, en leur restant étroitement attaché ; quand ce n'étaient pas colère et agacement, ils avaient toujours déclenché en moi des paysages, contes de fées, images et historiettes qui m'avaient titillé l'enchantement ; cette incompréhension m'avait forcé à mille détours tellement plaisants que j'avais cherché à les renouveler ; l'incompréhension restant totale, les mêmes mots, les mêmes vers avaient autorisé à l'infini de nouveaux contes, et de nouvelles images, et des tons de lecture demeurés eux aussi infinis ; une spirale sans sortie ;

mais là, seigneur, en les relisant sans cesse, dans cette nudité à laquelle mon esprit se voyait acculé, quelque chose amorça un mouvement ; les stances imprimées de ce vieux Parménide, mais plus encore les vers que j'avais recopiés, se mirent à dériver dans d'indéfinissables possibles ; je n'entendais plus ces deux voix de vieux sages immobiles que je m'étais concoctées dans le théâtre de mon esprit, mais deux tons qui se complétaient dans une sorte de jointure, et qui produisaient ensemble une nouvelle sonorité ; je ne remplissais plus leurs phrases de ces images mentales qui m'ouvraient de longues impasses méditatives ; mes yeux happaient les mots, secs, nus, même rêches ; mon esprit immobile aspirait un à un ces fragments ; ils tombaient en moi, comme dans une caverne de résonances où ils s'articulaient ensemble, sans me laisser le temps d'une saisie mentale ; je les relisais alors, les aspirais de nouveau, et ils entraient en moi, aveugles, aveuglés, sans consistance, dans une ronde de possibles sans significations ; il n'y avait juste que le vide de mon esprit qui s'élargissait vers eux, et eux tout aussi neutres qui bondissaient vers moi ; et le lieu de nos rencontres demeurait un espace dégagé de toute forme, de tout langage, de toute image, de tout récit ; et, dans ma perception, cette rencontre infinissable ne laissait pas plus de traces que le sabot d'un bouc sur une croûte de pierre sèche ; mais elle subsistait en moi comme le lieu d'une *articulation* où se créait... un déplacement — un bourgeon de fraîcheur ;

VOIX DEUX

... le plus bel arrangement
est semblable aussi à un tas d'ordures rassemblées au hasard...

en fait, jusqu'alors, j'avais vu l'île avec la trame de mon esprit, et pas seulement vu, j'avais écouté comme cela,

j'avais touché aussi ; ma perception des saveurs provenait pour l'essentiel de ce que m'offrait ou m'ôtait mon
esprit ; la seule chose qui lui avait échappé avait été sans
aucun doute ce qu'exprimait mon petit livre dans le
secret de ses fragments ; quand il se retrouva neutralisé,
privé de ses digues et remparts, les vieux Grecs l'inon-
dèrent de leur *vierge autorité* ; alors, seigneur, comme une
terre desséchée soudain fécondée par la pluie, il ne put
que se voir envahi de bourgeons sur lesquels il n'avait
pas d'emprise ; ce fut ainsi que ce déclic me fut offert :
par l'articulation des timbres de mon vieux Parménide
et de son homologue ; je les lisais sans rien attendre ni
vouloir maîtriser, les accueillais dans cette mince liberté,
les éprouvais-là, les fréquentais durant de longues nuits ;
j'aspirais les mots, ils venaient ; je les laissais libres de
savane en moi, ils me laissaient libre de savane en eux ;
aucune image ne surgissait, aucune explication ne se
précipitait, aucune figurine ni décor de théâtre n'envahissait le lieu de nos rencontres, et la scène que suscitaient leurs vibrations n'était pas éclairée ; juste l'articulation des deux timbres qui m'ouvrait un minuscule
espace ; par contamination, quand je quittais ma couche,
et revenais dans le concert avec les choses autour de
moi, je pouvais, malgré l'angoisse, simplement entendre,
simplement voir, simplement toucher, simplement percevoir ; je pouvais surtout ne pas m'angoisser de mon
silence mental, ne rien regretter de ces chimères qui
auparavant giclaient de mon esprit pour tout envahir,
voiler en dévoilant, révéler en cachant, et intégrer ce
que je percevais dans le moule d'une illusion ;

VOIX UNE

... le même, lui, est à la fois penser et être...

je passais des nuits entières dans cet étrange commerce avec ces étranges mots ; si une part de ma vigilance demeurait à surveiller le sol, je pus bientôt m'en distraire sans vraiment le vouloir, et rester dans un tête-à-tête avec ces fragments de poèmes ; difficile de me rappeler, seigneur, en quel soir ni en quel instant de ces étranges lectures j'éprouvai pour la première fois de ma vie la sensation de simplement fixer *l'incompréhension,* et même *l'inconnaissable,* sans voile ni artifice, et de continuer à vivre ; chaque fois qu'au-devant de la cavité j'ajustais un ajoupa pour me garder des pluies ou des rosées glaciales, et que j'empoignais ce sacré petit livre, *l'inconnaissable* s'ouvrait au-devant de moi et tout au fond de moi, comme un paysage sans pays, une terre sans frontière aussi vide qu'un désert mais aussi dense qu'une forêt tropicale ; quand je finis par en avoir conscience, les vers du vieux poète et de son homologue retentirent en moi d'une manière nouvelle ; ce n'était plus *l'articulation* initiale, mais un *possible* tout autant dépourvu de réalité immédiate que dépouillé de limites tangibles ; je ne pouvais que le vivre au malaise, l'endurer comme une vérité sans lumière, qui n'avait nulle part où aller et qui n'ouvrait aucun triomphe ; il m'offrait juste sa résonance dans mon front, son extension dans ma poitrine, son surgissement à mes oreilles quand je bougeais les lèvres sur un simple murmure ; ce *possible* me restituait le sentiment de ma propre existence, aussi pleine que tout ce qui existait autour de moi dans une plénitude impavide ;

*

le plus étrange, seigneur, c'est que le vieux poète et son Autre m'apparaissaient dans le même isolement que moi ; l'un me disait que la déesse de la vérité, ou la vérité elle-même, se tenait dans les chemins inusités des hommes, dans l'absence et dans le retirement, la solitude et le silence, et l'impossible gardé comme une planche d'appel — et de cela j'avais le sentiment que cette île en était le bout le plus extrême ; l'Autre alors me rapiéçait ensemble l'ombre et la lumière, l'impossible et le possible, peuplait les vides, entrelaçait et la vie et la mort, créait des mouvements incessants dans ce qui semblait fixe, et instituait une sorte d'impulsion générale ; quant à leur assortiment, seigneur, il m'apparaissait comme un temple détruit, dont il ne resterait que des bases éclatantes, massives et rectilignes mais ouvertes au grand ciel, et qui, dans ce solide et dans cette ouverture, autorisaient toutes les élévations ;

*

je ne suis pas versé en la science des poèmes, mais il me semble, seigneur, que le vieux Parménide avait compris que l'inconnaissable grandiose supprimait tout espoir, immobilisait tout possible, et précipitait l'existence dans une telle angoisse que l'on se jetait à corps et tête perdus dans les émois, les illusions et les chimères, forçant ainsi tous les possibles à fourmiller sans fin dans ce qui devenait le labyrinthe du vivre ; l'Autre, son homologue, sillonnait alors le labyrinthe, et le creusait de ces complexités qui permettaient qu'on y avance en découvrant à chaque détour de troublantes perspectives et de beaux horizons ; c'était là que se situait mon *articulation* ;

*

encore ceci, seigneur : ces deux Grecs anciens m'apparaissaient tissés de plus de retenue que d'épanchements, de plus de silence que de déclamation, et leur autorité que je sentais dans chaque fragment me semblait très sobre et très pudique ; comme si ce qu'ils cherchaient à révéler ne pouvait l'être jamais complètement, jamais offert dans une lumière totale, mais à jamais noué dans le secret, le retirement, et les inconfortables perspectives de l'ombre ; *la nature aime à se dérober à nos yeux;* il me fallait me tenir dans ce dérobé — cette angoisse —, ne jamais cesser de le sentir et de le vivre ; comprendre que cette frappe initiale conférait d'emblée énergie et fraîcheur à ce que j'allais entreprendre dans cette île-labyrinthe dont j'avais maintenant une parfaite conscience ;

*

en sortant de ces nuits de lecture, je pouvais, et de manière définitive, regarder le ciel vide sans y projeter des dieux et des démons ; je pouvais regarder l'océan sans attendre une voile, et sans voir m'assaillir une vaine espérance ; et je pouvais me regarder moi-même, immobile sous l'angoisse attentive qui ne me concentrait que sur elle-même ; bien des choses qui m'émouvaient en des temps ordinaires me laissaient alors dans une égale placidité ; des cabris découverts étranglés sous des lianes, des oisillons dévorés par des rats ; ces hécatombes d'œufs de tortue que pratiquaient les crabes... toutes ces désolations ne m'emplissaient d'aucun émoi particulier ; le seul surgissement quelque peu dérangeant était d'étranges sensations filtrées de ma mémoire perdue ; j'entendais des cris et des râles, des bruits de ferrures et des agonies qui résonnaient de manière caverneuse ; une expérience inconnue se précisait en moi et me remplissait d'un brouillard de révolte ;

mes journées devinrent de plus en plus bizarres ; je pouvais passer des heures à observer la nacre d'un coquillage ; il m'était possible d'étudier très longtemps le frémissement d'une feuille de chou ; une fois, je découvris dans un trou de racines une pierre bleue que je me mis à contempler durant des heures, ce qui constitua pendant quelques semaines ma seule activité ; je devins un scrutateur d'écorce, un regardeur de sable ; ce que je voyais des oiseaux, des insectes et des fruits ne m'amenait à aucun étonnement, à aucun mouvement de l'esprit ou de l'âme, ni à aucune utilité, juste à cette patience de mon regard sur l'infini de leur détail, et qui me remplissait d'un calme — cette angoisse qui n'avait pas de fin ; j'oubliais même de boire et de manger, et quand je le faisais c'était à n'importe quelle heure, et en n'importe quel lieu où ma déambulation m'avait posé, et mon manger pouvait être n'importe quoi, une barbadine vers laquelle tendait tout mon corps, une chair de ver palmiste, un nœud de canne-à-sucre ;

j'avais repris mes déambulations dans l'île, mais je ne cherchais rien ; je me contentais d'aller comme les alizés ; je pouvais suivre une géographie très précise que certains souffles inscrivaient sur les herbes coupantes ou dans le vif crénelé des falaises ; quand je m'arrêtais, soudain épuisé, je pouvais cueillir des fleurs et me les ajuster

211

sans raison sur le crâne, ou autour de mon cou en colliers, et elles m'auréolaient de senteurs différentes ; ou alors, je prenais le temps de tresser un petit ajoupa avec des feuilles particulières ; cela me donnait des abris colorés, parfumés, chaque fois différents, et je m'y réfugiais comme dans un palais dépourvu d'apparat ; j'avais tellement construit de fortifications qu'il y avait comme une urgence à élaborer ces ajoupas ouverts ; leur seule utilité était peut-être d'adoucir mon angoisse devenue permanente ; les concevoir, les regarder, m'y allonger, me soulageait un peu ; souvent, je n'avais même pas envie d'y dormir ou de m'y reposer ; je me contentais de leur existence, et j'avais toujours besoin de revenir vers eux, juste pour les rafraîchir en fleurs et en couleurs, et les laisser jolis dans leur frivolité ;

mon regard était devenu tellement aigu que je pouvais m'attacher à des choses qui en d'autres temps m'auraient paru insignifiantes : un cactus fleuri, levé dans la fissure d'une roche brûlante ; des nuances de quartz rose dans une anse de sable noir ; de petites plantes-couronnes accrochées à des troncs et qui pour se nourrir déployaient dans le vent des racines d'un vert tendre ; mille fleurettes de savane, aussi minuscules que ces insectes qu'elles attiraient en masse ; durant mes très patientes contemplations, je tressais quelque chose de mes mains devenues créatrices ; j'accrochais partout des objets insolites, qui ne proclamaient rien d'autre que leur forme sans idée, leur mouvement sans projet, leur saisie d'une perception qui ne démontrait rien ; le petit son qu'ils produisaient dans les souffles de passage ne devenait jamais un début de musique... ;

... le prince dont l'oracle est à Delphes n'expose ni ne cache,
mais donne signe...

je déambulais avec une intensité jamais connue de toute
mon existence ; je n'avais plus aucune sédentarité ;
j'éprouvais cette frénésie des alizés, des oiseaux, des
abeilles, des rongeurs, toujours en vols et en mouvements ; ce que nous avons d'immobile provient sans
doute du végétal, mais le végétal le plus enraciné pratique lui aussi un voyage incessant, dans mille bourgeons
et petites pousses que l'on voit rayonner autour d'une
origine... ; *et donc l'errance, seigneur, je pris conscience de l'er-*
rance !... ; elle oriente sans s'ériger en guide ; elle est la
mère des libertés ; elle ne mène pas à découverte, elle
donne ; elle ne se projette pas, elle s'offre et offre l'imprévisible ; j'avais beaucoup divagué sous des trombes
mentales, mais là je ne divaguais pas ; *j'étais devenu une*
errance naturelle ; mon corps allait, et mon esprit allait,
rien ne m'orientait que ce simple fait d'aller ; mon être
suivait un flux imperceptible, inscrit au cœur des choses ;
et quand je restais immobile en un lieu, mon errance se
faisait immobile ; elle persistait d'une sorte inexplicable,
qui maintenait mon esprit disponible en face d'un
gigantesque *ouvert* dans lequel, seigneur, je n'avais pas
d'autre choix que d'aller ;

*

je comprenais ces grands éveillés qui semblaient immobiles, dans l'isolement le plus extrême, en apparence
détachés de tout et d'eux-mêmes, et fixant sans doute

un impensable qu'il leur était donné de percevoir; ils étaient en fait plus actifs que le vent, plus voyageurs que tous les marins d'Angleterre, et mieux reliés au cœur exact des choses que ne pouvaient l'être toutes les racines du monde;

*

tout cela est très ténu, seigneur, et très difficile à transmettre, mais c'est mon devoir que de ne pas y renoncer; je vivais une disponibilité errante qui se densifiait de jour en jour; rien ne se passait, mais une aventure se poursuivait sans que j'y comprenne maille; mon mental n'était pas atteint, ni la santé de mon humeur; aucune mélancolie ne me ternissait l'œil; ni ordre ni désordre, ni emprise ni conquête, ni indifférence ni détachement : seulement l'*aller* qui se fait disponible comme seul *a priori*; voilà ce que je veux nommer : une liberté sans concession qui ne m'enfermait plus dans quoi que ce soit, mais qui m'offrait sans limites à moi-même et à l'entour; *une mise en relation;*

*

mon activité mentale, mon ordre, ma morale, ma raison, parfois même mes moments de désordre, n'avaient servi qu'à me protéger de ce qui était-là; même cette angoisse qui semblait être le point de départ de mes anciennes chimères était déjà sans doute une chimère première pour compenser la foudre du *Quoi* que constituait cette île; ce que je pensais être ma raison, que j'avais passé tant d'années à vénérer par crainte de sombrer animal, était elle aussi autant une chimère que ces chimères qu'elle devait compenser...; c'est en imaginant cela, en me le répétant, que je poursuivis mes contemplations lentes, mes créations futiles, mon errance perpétuelle; je ne mettais plus de nom sur les choses; je ne m'efforçais plus de reconnaître quoi que ce soit; je m'abandonnais à ce qui m'entourait, dans une *relation* qui m'en rapprochait sans rien me clarifier, qui me l'offrait sans jamais lui enlever l'opacité irrémédiable avec laquelle je devais composer; cette opacité était le socle même de ce que j'avais vécu et que je devais continuer à vivre dans cette île : un *Quoi*;

*

cette île, seigneur — ce *Quoi*, cette chose —, était hors du temps, sans événement, hors du mouvement du monde, hors devenir possible, et c'était pourtant en ce lieu exact de trouble et de souffrance à l'âme que ma *relation à moi-même* et au monde devait se mettre en branle;

*

je disais *Quoi* pour m'aider à exprimer ce lot d'inexprimables; à tenter de les manier; il ne me fallait pas fuir ces réalités rêches, mais au contraire les regarder en face, en guetter les éclats, en supporter l'angoisse, en accepter l'absence de toute voix et toute voie, et, toujours en leur présence, endurant cette angoisse, tout mettre en œuvre non pour les nier mais pour en bâtir du vivre;

*

je ne saurais dire ni quand comment ou pourquoi, je me retrouvai encore auprès de cette empreinte ; je n'étais pas seul ; j'étais à la fois proche et lointain de tout ce qui existait autour de moi, dedans et dehors, comme une fusion qui soulignerait des étrangetés irréductibles ; des perroquets qui ne me quittaient plus accompagnaient mes pas ; ils se posaient sur mes épaules, ou se contentaient de voler de branche en branche à quelques pas de moi ; il y avait aussi le jeune bouc qui maintenant ne se tenait jamais très loin de là où je me trouvais, et qui feignait de m'ignorer ; j'avais apporté auprès de l'empreinte des centaines de coquillages merveilleux, des basaltes somptueux, des écorces noires polies, des silices d'un bleu profond ; de petits assemblages de bambous et d'écailles que je disposai autour d'elle, pour que le vent les fasse bouger, les entrechoque, et qu'ils la couvrent de leurs sonorités ; inspiré par ce premier ensemble, je rapportai de mes coffres abandonnés des peaux de mangoustes et de petites calebasses, que je pris la peine de nouer d'une sorte particulière afin de composer des ailes sensibles au vent, disposées sur une arche de bambou ; j'y ajoutai une série d'éclats de nacre très fins, qui captaient la lumière d'une manière aussi vive que s'il s'était agi de miroirs, et qui au bout d'un fil tourbillonnaient sans fin ; une fois achevée, l'installation se mit à réagir aux rosées du matin, à prendre les souffles bas, à s'émouvoir des voltes de vent chaud, à concerner des papillons et plein de libellules ; tantôt, la plage fut envahie de sonorités du plus bel effet ; le vent et la lumière, captés dans mon ensemble, étaient devenus visibles, et soulignaient d'une matière sonore, très fluide et très changeante, et jamais épuisée, l'empreinte en son mystère ;

ce n'était pas une célébration comme j'en avais eu autrefois le délire, juste un partage avec elle de ce que j'aimais ; je lui étais reconnaissant de ces bouleversements qui m'avaient dégagé de l'idiot ; mes petites créations inutiles (que j'aurais bien de la peine à décrire, tellement elles relevaient d'inspirations très pures) transformèrent la plage en un lieu insolite, qui grinçait, cliquetait, miroitait, frissonnait de toutes sortes de manières, et qui accompagnait et les pirouettes du vent et les mouvements du ciel ; je ne regardais plus l'empreinte pour tenter de la comprendre, ou de lui deviner une quelconque origine ; elle était posée-là, inscrite dans la masse argileuse que le sable habillait ; elle n'avait pas d'âge, ni commencement ni fin ; sans doute avait-elle été là avant même que je n'existe sur terre ; peut-être qu'elle était tombée de la préhistoire de ce monde, et que ses rapports avec la forme d'un pied ne provenaient que de mes pauvres sens ; je m'efforçais simplement de percevoir ce qu'elle était : une forme ineffable, plantée-là, sur le temps et la surface du monde, et allant son ineffable dans la plus vaste immobilité ; je pouvais à présent la vivre, l'éprouver et m'en nourrir ainsi ;

*

VOIX DEUX

... la santé de l'homme est le reflet de la santé de la terre...
... le temps est un enfant qui joue...

*

217

j'essayai de respirer en m'imaginant dans cette empreinte, moi faisant partie d'elle, et elle en moi, sans histoire, si ce n'était d'être en *relation* avec elle; cette empreinte n'ouvrait pas à un Autre que moi; elle n'ouvrait nullement à une quelconque personne, ni même à je ne sais quelle chimérique *présence*; je ne sais pas trop comment le dire, seigneur, et je sais combien tout cela est confus, mais cela ne peut que le rester; les vieux Grecs me l'avaient appris : *la justesse du dire se tient dans ce qu'il dit de l'indicible, dans ce qu'il en désigne et dont il porte le signe*; ces créations inutiles que j'avais organisées autour d'elle étaient autant de signes vers un inconnaissable, un incertain, un impensable, dans lesquels se situaient leurs mouvements, leurs sonorités, leurs éclats désaffectés; elle avait fait de moi *un artiste*; incliné vers cela qui m'apparaissait maintenant comme l'ouvert d'un infini du commencement; seigneur, l'empreinte ouvrait à un grandiose, qui se maintenait-là, tout apposé à mon esprit, avec lequel je devais, sans me conter d'histoire, éprouver l'infini du possible, et maintenir une relation ouverte;

*

difficile de vous dire si ce fut là mon ultime naissance; en tout cas, je maintins le plus longtemps possible mon esprit dans cette condition; je n'éprouvais aucune envie de construire, de chasser, de régenter ce lieu, seulement le désir immense de percevoir ce *Quoi* que le faste naturel de l'île me laissait supposer, et qui était en elle, tout comme il était en moi; je crus longtemps qu'il s'agissait de la vie elle-même, de la conscience de vivre ou d'être en vie, mais même le déploiement de cette conscience et les grandes inspirations passionnées que cela procurait me paraissaient un artifice ; je revenais alors à la perception tellement aiguë de cette chose impossible à définir, qui autrefois nourrissait toutes les puissances, qui animait toutes les *présences*, et qui maintenant forçait mon esprit à rester dans la voie inconfortable de mille possibles en devenir ; dès lors, tout me semblait non pas vide, absent ou impavide, mais ouvert, un *ouvert* qui ouvrait à la désespérance la plus féconde, à l'angoisse la plus sereine, à la joie la plus lucide, à l'illusion la moins nocive, aux alliances de l'ombre et de la lumière, de l'impensable et de tout ce qui pouvait se penser ; ce fut sans doute la période la plus heureuse de mon existence, un bonheur où j'allais sans dieu, sans diable, sans une quelconque croyance capable d'expédier mon esprit dans un vieux labyrinthe ; rien d'autre que de temps en temps le surgissement de l'angoisse, l'aigu passage d'une nausée, le faste d'un beau malaise, mais ils ne me procuraient plus aucun affolement, juste la sensation d'un immense commencement : un lieu inaugural où je pourrais enfin dans une conscience dénudée, très rêche, solitaire à l'extrême et solidaire autant, bâtir tout ce que je pouvais être ;

VOIX DEUX

... l'harmonie invisible vaut mieux que celle qui est visible...

au bout de tout cela, seigneur, j'étais tombé *en connaissance*, c'est-à-dire dans ce questionnement angoissé sur ce que j'étais dans cette île, avec la certitude de garder cette question comme un inatteignable soleil tout autant *mapian,* comme disent les nègres de plantation à ~~pus~~ de ces blessures qui ne guérissent jamais...;

*

cela pour vous dire, seigneur, que je fus à peine émotionné de voir l'immense voilure de votre navire apparaître au bout du promontoire; j'y allais chaque matin m'ouvrir et le corps et l'esprit dans le mouvement du vent; des papillons m'accompagnaient, mais aussi des ramiers, et un couple de poules d'eau, comme aimantés par ma présence; les perroquets suivaient le même rituel ainsi que quelques cabris et deux-trois boucs qui avaient rejoint mon bouc à mauvaise tête; il y avait une tortue de terre qui se tenait toujours à ma gauche, et dont le rythme s'accommodait sans encombre à mon pas lent et à ma démarche tranquille; du haut de cette falaise de rocaille vive, couverte de milliers de petits crabes, je découvris les voiles de votre brick qui avançait paisiblement, à bonne distance de la barrière des cayes; je sus ainsi que vous connaissiez déjà cet endroit; cela aurait dû être un spectacle féerique pour mon pauvre esprit; il avait tant désiré voir cela!... l'avait tant invoqué dans tellement de délires et de fiévreuses chimères!...; mais là, je me contentais de le découvrir dans cette circulation de lumière qui donnait vie à toutes espèces de puissances portées à devenir;

je reconnus aisément la manœuvre, vous deviez vous chercher une anse, en sorte de pouvoir mettre à l'eau quelques chaloupes; j'étais très visible sur mon promontoire; ces éclats qui captaient le soleil comme de petites foudres étaient sans aucun doute vos longues-vues bra-

220

quées sur moi, et qui me détaillaient; je poursuivis tranquille ma cérémonie des vents, puis regagnai ma petite cavité où je pris le soin de me parer de quelques beaux colliers, de peaux de bêtes très fines, d'organiser sur mes épaules ces tresses qui me couvraient le crâne et que je parfumais de cannelle; je saisis aussi le parasol végétal que je cueillais chaque semaine dans un arbre dont les feuilles avaient cette forme exacte, et je me dirigeai vers cette plage où vos chaloupes allaient sans nul doute accoster;

je n'étais ni ému, ni terrifié, ni impatient d'être en face des hommes; j'étais seulement porté par une plénitude ni, béate, ni inquiète, mais pleine d'elle-même, toute sphérique et puissante, sans aucun tremblement, et qui chez moi, seigneur, accompagnait maintenant le surgissement d'une beauté; au bout des vingt-cinq ans de cette immobile aventure, je fermais avec vous la boucle ultime d'une immense rencontre...

JOURNAL DU CAPITAINE

26 septembre – En l'an de grâce 1659 – Nous
l'avons vu. Mon intuition ne m'avait pas
trompé. Cela s'est passé à la première
heure ce matin, le navire longeait la côte
en direction de l'anse où j'avais abordé il y
a douze années. Ces retours étaient des
aventures que j'aimais bien mener. J'avais
ainsi ensemencé beaucoup d'îles avec des
poulets, des cochons, parfois même des
rats involontaires, et c'était toujours un
étonnement d'y dénicher des hordes
entières lors d'un autre voyage, comme si
ces petites îles disposaient d'une capacité à
démultiplier à l'envi la moindre existence
qui leur était confiée. Cela nous permettait
d'ensemencer à très bon compte ces terres
désertes de la ressource en viande. Nous,
de la vieille Europe, les transformions en
jardins sauvage et en lieux d'élevages naturels. Mais là, c'était différent, et mon cœur
battait autrement. Ce que je cherchais,

dans le cercle de ma lunette d'approche, c'était un homme. Je finis par le voir.

C'est l'officier de quart qui le découvrit du haut de la hune, et qui me fit appeler pour confirmer ce qu'il avait cru distinguer. Il avait raison. C'était lui. Encore vivant. Je fus étonné de sa stature. Il avait le crâne couvert de longues tresses à la manière des pharaons. Sa barbe aussi était tressée de belle façon et lui couvrait le torse. Il était vêtu de peaux de bêtes, bien peignées, bien taillées et cousues selon le goût des peuples de son pays. Sa peau était véritablement tannée par le soleil, et moulait des muscles de fer, fins et déliés. Ses traits que j'examinai à la lunette me confirmèrent que c'était lui. Cela me causa plus d'émotion que je ne l'aurais pensé.

Je fis accélérer les manœuvres d'approche et les dispositions de l'ancrage en face de la petite anse. Puis, je dépêchai des canots à sa rencontre. Les hommes qui s'y tenaient étaient armés, car très souvent quand on retrouve ainsi des survivants sur une île déserte, ils ont perdu l'esprit et se montrent dangereux. Ils abordèrent au rivage avec la procédure d'accostage militaire, sous le couvert de deux canons de douze et d'une bombarde.

Mais le rescapé se présenta à nos hommes avec une lenteur majestueuse, une sérénité profonde, comme si nous étions en face d'un sage des abords du Nil, du temps des pyramides, où dit-on les Grecs s'en allaient étudier. Je rejoignis sans attendre l'équipe d'accostage, curieux de voir comment il réagirait en me revoyant. Il ne me reconnut pas. Il ne reconnut rien. Il était heureux de nous voir, de voir des êtres humains, et toutes ces années ne semblaient pas l'avoir affecté outre mesure. Il disait juste avoir vécu-là pendant près de vingt-cinq ans, ce qui était une erreur acceptable, dans ces sortes de solitude le temps joue très souvent aux dés. Il n'y était que depuis douze années. Chose étrange, il nous offrit des compositions de fleurs et des bricoles clinquantes qu'il avait fabriquées et dont il semblait faire pompeuse cérémonie.

Je le fis ramener à bord, et le reçus dans ma cabine, en compagnie du chirurgien à qui j'avais déjà expliqué cette affaire. Nous l'accueillîmes avec un peu de vin d'Espagne, des biscuits secs, quelques lanières de viande fraîche et une potée de haricots rouges agrémentés de morue. J'avais fait dresser la table, les couverts, l'argenterie, et un beau chandelier. Il n'avait rien oublié des usages de la table, mais il parlait d'une voix forte comme le font ceux que la solitude a minés trop longtemps. Il m'appelait

225

« seigneur », non en raison de mon grade, mais sans doute pour ce que je représentais pour lui du monde qu'il avait perdu. Mon visage, ma voix ne lui éveillèrent aucun émoi. Je compris qu'il avait totalement perdu la mémoire. Resté reconnaissable, il n'était en revanche plus celui que j'avais abandonné sur ces rivages il y a douze années.

Je fus étonné du récit de son séjour sur l'île. Une tempête mentale ininterrompue, proche du délire, une aventure immobile, tortueuse comme un labyrinthe où il avait erré. Il disait avoir su le vaincre, ce qui faisait de lui l'homme qui était devant nous : un homme de connaissance. *Je suis,* répétait-il, *un homme de connaissance.* Il parlait sans reprendre son souffle, enchaînait les phrases et les épisodes, avançait en spirales, comme on en trouve dans la rhétorique coutumière des griots dans les villages de la Négritie. D'ailleurs, il ne racontait pas, disait-il, il essayait plutôt devant nous, avec nous, de « saisir » ce qu'il avait vécu et qu'il était devenu.

Ébahi, je le regardais avec tendresse. Il n'avait plus rien à voir avec ce jeune moussaillon dogon, instruit du Coran et de textes égyptiens, habile en presque tout, que j'avais récupéré en mes jeunes années de commerce sur les côtes africaines. Il avait effectué plusieurs voyages avec moi entre les mondes anciens et le monde nouveau. À l'époque, il s'appelait Ogomtemmêli, fils d'une lignée de grands chasseurs savants, mais je n'ai jamais eu la certitude que ce fût-là vraiment son nom. Il était devenu un vrai marin, très expert en tout, tant à la navigation que de ses longues mains. Je lui avais appris tout ce que je savais, et il m'en avait transmis autant. Jusqu'au jour où le filin lui fracassa le crâne, et s'il survécut, il en garda une altération si grave de son esprit qu'il ne savait plus qui il était ni ce qu'il faisait sur le navire. Le plus embêtant fut que son comportement était devenu étrange, de folie pure, avec des extravagances qui jetaient la crainte dans l'équipage et risquaient d'attirer sur nous le mauvais œil. En désespoir de cause, ne sachant où le mettre, je le fis enchaîner dans la cale avec notre marchandise de l'époque, ce qui nous soulagea mais qui acheva sans aucun doute de lui ruiner l'esprit. Il supportait très mal tous ces captifs entreposés dans la soute, et ces cadavres que chaque matin nous jetions à l'eau, au fil de notre navigation vers le continent neuf. Nous avions pourtant pratiqué ce commerce ensemble, à une ou deux reprises sur les côtes de Guinée, sans que cela lui cause un souci. Mais sa folie, accentuée par la cale, l'amena à s'en indigner de plus en plus violemment et à se comporter d'une manière inacceptable pour la sécurité du navire. La grogne s'étant répandue dans l'équipage, je résolus de le débarquer en quelque île déserte, comme nous le faisons des captifs enragés, contagieux, ou atteints de possession démoniaque.

Pour que cela s'accomplisse sans histoire, je le fis assommer au petit matin. Nous avions manœuvré autour d'une île que nous avions dû chercher en prenant de grands risques, dans une contrée infestée de cayes à naufrages. Un canot le prit en charge pour le jeter sur le sable de cette anse où gisait déjà une frégate qui avait dû se fracasser-là en des temps très anciens. J'en avais le cœur serré, mais j'espérais qu'il survivrait. Il en avait les moyens et surtout le courage. J'avais connu beaucoup de nègres, matelots ou captifs, débarqués ainsi pour mille raisons, et qui avaient fini par s'acoquiner avec les sauvages, jusqu'à devenir de vrais cannibales noirs. Pour l'aider, je lui avais fait passer mon baudrier à la taille, avec mon nom gravé dessus, un beau sabre, et quelques vivres dans une barrique. Je fus ému d'entendre l'usage qu'il avait fait de ce nom.

Le canot n'avait malheureusement pas pu accoster. Nous n'avions pas choisi le bon angle. Les marins se résolurent à le jeter par-dessus bord à quelques encablures, amarré à la barrique, en veillant à ce que le courant l'emporte vers le rivage. Ce qui se fit, comme nous le constatâmes à la lorgnette en nous éloignant de ces cayes trop dangereuses. Nous avions alors repris la route vers le Brésil où m'attendait ma plantation, et j'avais fini par oublier ce fils, ce bon ami, ce frère.

Toutes ces années s'étaient écoulées sans que j'y pense vraiment. C'est ce passage à proximité qui m'en avait rappelé le souvenir et l'affection que j'éprouvais pour notre rescapé. Nous l'écoutâmes toute la nuit, en ne comprenant pas vraiment ce qu'il disait de ses multiples naissances dans la solitude de cet endroit perdu. Il était conscient d'avoir vécu une aventure transformatrice de toute première ampleur. Ce n'était plus le gentil bonhomme que j'avais connu, mais un homme plein de sérénité, de gravité heureuse, capable de rire, et dont le regard seul vous aspirait, vous traversait, vous découvrait d'un coup. Je n'eus pas le courage de lui ramener à la mémoire ce qu'il avait été, ni surtout ce triste épisode qui nous avait tragiquement séparés. C'est pourquoi je lui cachai mon nom. Pour finir, il nous montra ce petit livre qui l'avait tant aidé, une petite chose noirâtre, fripée, couverte de fragments à moitié effacés. Certains avaient été recopiés d'une écriture presque illisible, torturée, parfois même insensée. Le chirurgien, qui se piquait de lettres, crut y reconnaître deux des vieux philosophes des matins de la Grèce, Parménide et sans doute Héraclite, et s'émerveilla que ces textes aussi obscurs aient pu soutenir une démarche de survie. Ce à quoi l'homme de connaissance répondit mystérieusement que c'est au cœur du plus obscur que se tient la lumière, qu'ombre et lumière forment une sphère totale.

Au matin, je le suppliai de rester avec nous, ce qu'il refusa, de même qu'il refusa tout ce que nous lui donnions. Il déclama dans son mélange de plusieurs langues et son accent étrange que cette île était chez lui, et qu'en cet endroit il était au cœur de lui-même et du monde, et dans tous les lieux du monde à la fois. Ce que j'identifiai comme un fond de délire.

Là où les choses se gâtèrent, c'est quand les cris commencèrent à monter de la cale. Les captifs se mettaient à vivre une de leurs crises collectives, toujours imprévisibles. Sans doute des souvenirs lui revinrent alors. Une foudre lui embrasa les yeux. Il nous regarda étrangement, nous pinçant la peau, et regardant la sienne qui, bien sûr brûlée par le soleil, était d'une pigmentation sombre qu'il semblait découvrir. Cela le mit dans un état d'émotions très confuses. Il entreprit de parler dans sa langue ancienne, peut-être sans même comprendre ce qu'il disait. Il jaillit de la cabine, se précipita sur le pont en hurlant, et exigea que l'on ouvre la cale. Il voulait libérer ces captifs pour les amener avec lui sur son île.

Les hommes ne parvenaient pas à le maîtriser. Il était d'une force peu commune, et faisait montre d'une telle détermination dans l'affrontement que nous dûmes hélas le fusiller de loin. Je fus très triste de cette mésaventure. Je lui fis rendre les honneurs, et donner la prière des morts dans un linceul de notre bateau. Puis, je pris le temps de le faire enterrer dans une ravine, éloignée du rivage. Curieux de ce qu'il m'avait raconté, j'effectuai en compagnie du chirurgien une petite virée dans l'île, pour retrouver un peu de ce qu'il nous avait confié. L'île semblait intacte, ni champs, ni canalisations ni moulins, ni la moindre réserve ou caverne aménagée. Je ne trouvai aucune trace d'une vie humaine qui se serait débattue-là durant toutes ces années. Ce n'était qu'une île des temps perdus et des éternités fixes. Quant à l'empreinte, il nous fut impossible de la localiser nulle part.

*

En l'an de grâce 1659.
Je n'en sais plus la date exacte.
Je reprends mon journal de bord après toutes ces semaines.

Nous nous étions éloignés de cette île sans savoir que le temps s'agitait, que la mer bougeait, que l'océan nous halait en dérive vers un naufrage dont je serais l'unique rescapé. Je ne savais pas que j'aurais maintenant à vivre ce que ma malheureuse victime avait vécu juste avant moi, comme par anticipation, en arborant mon nom.

Maintenant que je me retrouve comme lui, seul, et perdu dans une île similaire, ces premiers mots de reprise dans mon pauvre journal sont pour lui, pour lui demander pardon, mais aussi pour placer ma survie sous le signe de son étrange expérience. Je prie le ciel pour qu'elle me soutienne, et qu'elle m'aide à survivre... mais cela, c'est une tout autre histoire...

*

« Le 30 septembre de l'an 1659, après avoir fait naufrage durant une horrible tempête qui, depuis plusieurs jours, emportait le bâtiment hors de sa route, moi, malheureux Robinson Crusoé, seul échappé de tout l'équipage, que je vis périr devant mes yeux, étant plus mort que vif, je pris terre dans cette île, que j'ai cru pouvoir, à juste titre, appeler l'*île du Désespoir...* »

Ce journal a été retrouvé dans les coffres du capitaine naufragé, marchand de Guinée, qui fut récupéré plus de trente ans plus tard, et qui allait raconter son incroyable aventure sur cette île perdue des Amériques.

Favorite, mars 2008 - juillet 2010.

L'atelier de l'empreinte

Chutes et notes

Relire le magnifique ouvrage de Daniel Defoe (1719). Il était resté ouvert comme une lumière dans ma mémoire. Aliment des enfances. Rêves. Vraiment marqué comme des millions d'enfants dans le monde. Je m'étais mille fois imaginé sur l'île déserte. Et je savais que tôt ou tard j'en ferais quelque chose.

*

Defoe déploie une innocente énergie narrative, il raconte, et ça marche, je lui envie cette innocence d'un autre siècle, on peut la lire, on ne peut plus la faire.

*

Le Robinson de Defoe se civilise, et civilise.
Le Robinson[1] de Michel Tournier s'humanise, et humanise.
On ne peut que poursuivre l'humanisation. Creuser là.

---

1. *Vendredi ou les limbes du Pacifique*, Gallimard, 1967.

*

La « situation Robinson » est un archétype de l'individuation, c'est en cela qu'elle est toujours fascinante pour nous, toujours inépuisable.

*

La fiction de Defoe cherche l'effet vérité. Le détail. Le récit. La vraisemblance. Le réel l'accompagne en contrepoint silencieux. On y croit, c'est fait pour. Mais au-delà de sa vraisemblance, et malgré elle, il crée une démesure, c'est là que rayonne son roman. C'est peut-être là le signe majeur du roman, quelle que soit l'époque : *sa démesure — ce que le réel ne peut pas assumer.*

*

Le Robinson de Tournier est admirable et impressionnant. Lui, il explore à fond la précieuse « situation Robinson », n'oublie aucun recoin. Sa fiction est déjà mise à distance, il l'écartèle, s'éloigne du récit pour creuser les instants, interroger le temps, interpeller l'espace, les silences, les indicibles de la matière humaine... Une belle sphère de démesure à laquelle on a d'emblée le sentiment de ne rien pouvoir ajouter. Juste peut-être des poussières de vertiges, fêlures et distorsions...

*

J'aurai passé ma vie à écrire des intuitions qui viennent de mon enfance. Il faut parfois une vie pour comprendre son enfance.

*

L'écriture explore, il faut la laisser creuser, aller à ses hasards dans la situation, et être gourmand de ce qu'elle ramène d'inattendu. Il faut lui faire fête quand elle ramène l'inattendu, la dresser à cela, à la liberté des trouvailles — qui sont encore plus merveilleuses quand elles sont des extensions inouïes au cœur de très petites insignifiances.

*

Trouver de grands espaces dans les insignifiances et dans les immobiles. Aller vers ce que seule l'écriture peut savoir du réel et de l'humaine condition. C'est là que le récit éclate en cette « saisie » dont parle Glissant.

*

C'est amusant, j'introduis de légères distorsions dans la situation, le plaisir est de les voir fonctionner comme des ondes de transformations imperceptibles. L'irréel doit être léger, le fantastique ressembler à un souffle. En la matière, trop d'irréel ne ferait que paradoxalement ramener le réel. J'aime bien cette idée d'interstices...

*

Le point-virgule s'est imposé, je ne sais pas pourquoi, peut-être l'idée du flux de conscience, de l'instabilité mentale, de la saisie qui ne raconte pas. Ce n'est pas le point-virgule de Flaubert.

*

Comme situation existentielle, celle de Robinson est précieuse. Par l'individuation elle relève du commencement, de l'origine, ou plutôt d'un retour à l'origine quand le réel a épuisé ses horizons et ses ressources. Elle est précieuse pour nous aujourd'hui, dans ces ruées du monde en ses totalités.

*

L'individu a toujours hanté les clans, les hordes, les tribus, les nations, les civilisations. Ce sont les merveilles et les démences de l'individu qui vont créer la nécessité du collectif. Toutes les communautés ont tenu en laisse l'individuation imprévisible et menaçante. Toute extension d'humanité augmente l'équation individuelle. Tous les héros (ou les salauds) sont des individus qui bousculent et fascinent des communautés. Le Robinson de Defoe a fasciné parce qu'il pouvait tout réenvisager à partir de lui-même — le rêve secret de tous... le défi d'aujourd'hui.

*

Aller entre Defoe et Tournier, entre deux masses de lumière. Trouver l'interstice.

*

Le point-virgule est un passeur d'énergie. Je le découvre. Sorte de contrebandier très cool que les belles-lettres ont pourtant traité comme petit télégraphiste de la nuance. Erreur.

*

Le vivant nous apprend ceci : pas d'existence sans l'expérimentation permanente d'une infinité de possibles. Le rayonnement d'une *présence* (un éclat d'existence) provient autant de possibles réalisés que de possibles déclenchés par ce rayonnement même, et faisant partie de son éclat, sans pour autant être actionnés.

*

Si je ne suis pas capable de changer en échangeant je me pétrifie, donc je me dénature. Sans l'idée de la Relation nous perdons ce vivant. Dans le fleuve d'Héraclite, celui qui se baigne change autant que l'eau dans laquelle il se trempe, d'où l'impossibilité radicale de deux bains identiques.

*

« ... *Dans nos entretiens, je leur avais souvent rendu compte de mes deux voyages à la côte de Guinée, de la manière de faire la traite, et de la facilité avec laquelle on y pouvait changer de la poudre d'or, des graines de Guinée, des dents d'éléphant, d'autres choses précieuses, et, qui plus est, des nègres en grand nombre, le tout pour des bagatelles, comme de la quincaillerie, des couteaux, des ciseaux, des haches, des morceaux de glaces, et autres menues marchandises...* » C'est triste : le Robinson de Defoe était un négrier.

*

Ici, l'aventure est intérieure et mentale, comme immobile, le récit fermente sur lui-même en saisie d'états de
perception, le difficile c'est de le forcer à laisser éclater
de petites bulles, qui font événement, comme de lumière.

*

Tournures vieillottes de Defoe, vieux clichés de langage,
les rameuter confère au texte cette coloration surannée
que j'aime bien, comme un peu de vieille chair. Mais
j'aime aussi cette distorsion qui fait que mon Robinson
pense et parle comme maintenant. L'île est dans une
contraction des temps. Ce qui importe c'est la situation
d'existence en rapport avec nos défis d'aujourd'hui,
tout le reste est déjà épuisé, et de belle manière.

*

J'aime reprendre les péripéties de Defoe et de Tournier,
et les recomposer à ma manière, comme un palimp-
seste, l'image initiale est tout au fond, puissante et belle,
et à mesure que je la travaille elle s'estompe et autre
chose apparaît au-devant, comme une extension, un
possible désenfoui... La musique du fond demeure.

*

Ici le « je » est un troupeau.

*

Ne plus raconter, déclencher des possibles. Exploser les péripéties en des bulles de perception.

*

Renoncer à l'histoire et semer des possibles, infiniment.

*

Le livre de l'Altesse, *Contre la philosophie*[1], tombe à pic et me nourrit sans fin. Il nous projette vers l'impossible originel. Il nous renvoie à l'impotence fondatrice. Il affole comme ça. Pour moi, il renforce la trajectoire de mon Robinson.

*

Nous revenons au commencement de la pensée, mais aussi au commencement de l'art. L'origine est moderne, et bien plus : elle est en avant de nous comme le répète Edgar Morin, Heidegger aussi. Et c'est vrai que toute vie, que tout art, ne vaut que dans son rapport à l'impensable initial. Le premier éclat de conscience fut navré par l'inconnu de l'existant et la terrifiante absurdité de la mort. Voilà ce qui s'agite dessous toute tentative d'ordonner au réel, magies et religions, de le penser ou de l'esthétiser. Voilà l'aventure fondamentale. Voilà l'empreinte.

*

1. *Contre la philosophie*, de Guillaume Pigeard de Gurbert, Actes Sud, 2010.

L'Altesse fait du philosophe un artiste, il a raison, l'artiste est au commencement, et il est à la fin.

*

L'*être* comme puissance « impotente ». Dommage, cette connotation négative pour tant de plénitude. J'ai fréquenté « impavide » mais ce n'est pas vraiment mieux. Le *« il y a »* de Parménide est encore ce qu'il y a de mieux : indéfinie neutralité.

*

« *Le silence éternel de ces espaces infinis m'effraie.* » Blaise Pascal. Bon petit miel pour cette empreinte.

*

Soupeser l'impensable. C'est là le point de départ de toute croyance, toute pensée, tout art, toute écriture, et c'est aussi le point de tremblement inépuisable, d'exploration sans fin, c'est aussi l'impact à partir duquel la conscience commence sa migration vers le centre de l'esprit...

*

L'Altesse m'envoie ce précieux rappel de Pascal : « *En voyant l'aveuglement et la misère de l'homme, en regardant l'univers muet et l'homme sans lumière, abandonné à lui-même, et comme égaré dans ce recoin de l'univers, sans savoir qui l'y a mis, ce qu'il y est venu faire, ce qu'il deviendra en mourant, incapable de toute connaissance, j'entre en effroi comme un homme qu'on aurait porté endormi dans une île déserte et effroyable, et qui s'éveillerait sans connaître où il est, et sans moyen d'en sortir. Et sur cela j'admire comment on n'entre point en désespoir d'un si misérable état. Je vois d'autres personnes auprès de moi, d'une semblable nature : je leur demande s'ils sont mieux instruits que moi, ils me disent que non ; et sur cela, ces misérables égarés, ayant regardé autour d'eux, et ayant vu quelques objets plaisants, s'y sont donnés et s'y sont attachés. Pour moi, je n'ai pu y prendre d'attache, et considérant combien il y a plus d'apparence qu'il y a autre chose que ce que je vois, j'ai recherché si ce Dieu n'aurait point laissé quelque marque de soi.* » Pascal, *Pensées*, nº 693 édition Brunschvicg. — Bon petit miel-campêche. Pascal est un être humain.

*

Mon Robinson me ramène à Derek Walcott et à Saint-John Perse. C'est toujours étonnant comment une écriture appelle, réveille des livres, anime des bibliothèques, se retrouve dans des strates déjà présentes, déjà explorées, que la nouvelle conscience met au jour dans un éclairage vif, un recommencement qui s'émerveille. *Sentimenthèque !* En fait toute avancée de conscience nous ramène aux fastes de l'origine, c'est assuré...

*

À chaque maturité de conscience, les sentimenthèques servent à commencer.

*

Le lieu du futur est intact dans l'origine.

*

Toujours bien trop de mots, il faut passer des heures, des jours, à lire et à relire pour trouver celui qui est en trop, chaque mot abattu constitue un trophée ; parfois, la phrase devient trop sèche et ils reviennent en force, dans la remontée d'un naturel heureux... C'est la musique qui a le dernier mot.

*

Étrange, le point-virgule, il n'arrête pas mais précipite, quelquefois il suspend légèrement, mais précipite quand même. Savon.

*

Variation sur Robinson — j'aime bien cette idée, toute création est en quelque sorte une variation. Le même projeté dans l'horizon, l'assise ancienne du temple, qui donne des cathédrales...

*

J'aime bien cet impossible : une aventure fixe, immobile, de quoi désespérer Defoe ou Stevenson. Ce n'est pas un renoncement à la story, au récit, c'est un renoncement à la narration naïve, une narration qui croirait en elle-même, qui se prendrait au sérieux, et qui se regarderait aller aux effets de vérité. Ce qui importe c'est la situation à explorer infiniment, dans son indicible, son impensable, son impossible... Le récit cède devant le « dire » qui *saisit*, surprend et se surprend, décompose des pans de réel, va à l'infime, explose l'insignifiant, cherche, s'immobilise, renonce à lui-même, se renouvelle ainsi...

*

... en fait durant ces vingt années je ne m'étais pas raccroché à mon humanité, mais simplement enfermé dans mes chimères et dans mon corps, forteresse de chair et île mentale dans l'île carcérale; — chute.

*

Belle modernité dans la situation Robinson : le fait qu'il soit forcé à une refondation purement individuelle. Cela a dû alimenter les fantasmes de toutes ces individualités contraintes dans les corsets communautaires des cultures et des civilisations. Il reflétait déjà l'individuation contemporaine et ses problématiques. Reste à savoir comment se construire sans les béquilles du communautaire et des standards de civilisation.

*

En fait c'est la plénitude individuelle qui ouvre aux solidarités les plus larges et les plus neuves. C'est la plénitude individuelle qui ouvre *à Relation*. L'égoïsme, le non-solidaire, le chacun pour soi, est en réalité une maladie de l'individuation exacerbée par le capitalisme.

*

De temps en temps, je m'attache aux détails comme le fait Defoe. J'y ajoute juste de l'inutile et de l'insignifiant, à l'étendre au maximum on sent de suite que le détail se met à trembler comme un horizon neuf.

*

L'absence d'un autrui porte atteinte aux états de conscience, elle les réduit ou les précipite dans d'infinies chimères. Une part de la conscience se structure avec autrui, ou avec son absence. L'Autre en revanche c'est comme un cyclone qui surgit, une panique, qui ébranle les belles structures mises en place avec l'autrui ou l'idée qu'on s'en fait. L'Autre, en son extrême, c'est l'impensable.

*

La question de l'autrui est moins déterminante pour nous que celle de l'Autre.

*

Mon Robinson n'a pas la Bible, mais le Poème de Parménide, et des fragments d'Héraclite. J'ai toujours pensé que sur l'île déserte j'aurais moi aussi emporté une Bible, mais l'idée du poème parménidien, petit soleil obscur qui nous dépose en face d'un *être* impavide ; et de l'autre mon cher Héraclite, qui n'en finit pas de complexifier le réel, d'associer des contraires, de relier des antagonismes dans une unité de feu, et qui expédie tout au devenir incessant, me paraît maintenir un lieu inépuisable capable de nourrir cent ans de solitude.

*

Parménide, Héraclite, Perse, Glissant, Césaire, Walcott, Faulkner... tous ombreux et obscurs. La transparence n'ouvre qu'à l'idée d'une vérité de totale lumière... vite invalidée par les concassages ténébreux du réel.

*

Héraclite aurait aimé cela : cette immense solitude qui ouvre à la Relation horizontale avec toute une île, un continent et la terre tout entière, ce retrait des hommes qui ouvre à tous les hommes et à la nécessité d'une relation la plus merveilleuse possible avec eux. Le lien est dans la solitude. La solitude est dans la haute proximité.

*

Le pire dans l'isolement c'est quand il n'ouvre à aucune solitude.

*

... tous mes émois, mes prétendues découvertes, mes réflexions et sensations diverses, n'avaient fait que recouvrir cette « chose » qui se tenait à présent devant moi, et que je percevais avec quelque épouvante au plus profond de moi... — chute.

*

Il n'y a pas de réel, il n'y a que de l'imaginaire. C'est pourquoi l'art est précieux : il invente le réel et alimente les imaginaires, les sort de ces pétrifications qui sont prises pour le réel.

*

Cette belle citation de Nietzsche, que je trouve dans le *Parménide* de Jean Beaufret : « *J'ai suivi à la trace les origines. Alors, je devins étranger à toutes les vénérations. Tout se fit étranger autour de moi, tout devint solitude. Mais cela même, au fond de moi, qui peut révérer, a surgi en secret. Alors s'est mis à croître l'arbre à l'ombre duquel j'ai site, l'arbre de l'avenir...* » — Je suis heureux de cela. Tout cela résonne ici...

*

... ce que j'avais devant moi c'était un foisonnement continu qui emportait toutes les essences, les apparences, dans l'impératif du devenir... — chute.

*

Tout dire doit désigner l'indicible au lieu d'essayer de le nier.

*

Toute narration doit se faire en présence de l'inénarrable.

*

250

... le monde que j'avais déployé sur l'île provenait du bateau ; j'avais pensé que par lui je retrouvais cette civilisation qui devait être enfouie quelque part au fond de moi ; mais là, parmi ces jacinthes d'eau, dans l'émerveillement lumineux qui transfigurait tous ces insectes de marigot, avec une placidité identique à celle de ces gros crapauds jaunes qui m'environnaient, je compris qu'au fond de moi il ne gisait pas plus d'humanité que de civilisation, seulement une aptitude innocente à entrer en contact, en échange, en partage avec tout l'existant, et de croître du mieux possible avec... — chute.

*

... de temps en temps j'allais visiter mes vieilles emprises, pâturages, pacages, fortifications, cabinets d'administration, secrétariats des pesées et des douanes... ; ils étaient tous abandonnés et envahis ; mais à chaque fois sur place, je ressentais comme une vitalité singulière, différente de celle que je percevais dans les autres parts intouchées de l'île ; à force d'observation, je réalisai que mon impact avait provoqué des floraisons particulières, parfois suite à des fruits dont j'avais jeté les graines, en tout cas un bouleversement mineur qui avait modifié la coutume végétale et favorisé de nouvelles émergences, lesquelles avaient attiré tel ou tel insecte, tel ou tel animal inconnu dans cette zone ; là où j'avais d'une manière ou d'une autre séjourné, se constatait une démultiplication de ravets, ou fourmis, ou de vers de terre, et de certains oiseaux qui avaient tous intégré mon impact aux éléments de leur survie ; j'avais à chaque fois suscité des ruptures, de petits mélanges et d'infimes mutations qui, dans l'île tout entière, s'en allait l'infini... — chute.

*

... je dus aller chez les morts tant de fois et en revenir tout autant, je n'en ai gardé aucun souvenir si ce n'est une mélancolie diaphane qui baigne un paysage de poème et de feu, et qui parfois se concentre de-ci, de-là, comme des lampadaires publics dans un désert... — chute.

*

Il n'y a de *dit* signifiant qu'à l'endroit de cette déflagration de conscience que provoque l'impossible à dire.

*

Toute pensée doit nommer l'impensable et se déployer avec.

*

Renoncer à toute certitude qui ne soit en présence de l'incertitude, de manière féconde et fidèle.

*

Toujours happer l'inextricable et expédier ce qui est simple au trouble de la complexité.

*

La plus belle impulsion provient d'un impossible. C'est avec qu'il nous faut fréquenter nos beautés — se laisser surprendre par elles plutôt.

*

... pourtant dans cette chose impavide, je percevais le parfum et la beauté des fleurs, le saisissement des nuits de lune, je goûtais encore aux succulences des fruits, mes sens organisaient le monde à leur manière pour me le restituer intelligible, et me permettre de le vivre; la différence était infime mais néanmoins considérable : j'étais désormais capable de les mettre à distance et de les regarder faire... — chute.

*

Littérature-monde, c'est idiot... le monde est sans doute aujourd'hui un très haut et très juste objet de littérature comme le dit Glissant, mais nul ne peut décréter ce que la littérature en fera. La beauté peut encore surgir dans l'infime, le national, l'enraciné dans une langue, l'individuel, le non-global... il faut attendre le surgissement majeur, lequel signifiera ce qui est dépassé, et nous donnera une mesure d'horizon, plutôt une démesure...

*

Pour la pensée, comme pour toute création, l'impossible à savoir et à faire est au commencement et il est à la fin.

*

... il n'y avait pas d'autre monde, ni d'autre réalité, que cette chose, cette lumière crue, insoutenable, impavide, cet inconnaissable quasiment immobile de ce qui est; et de l'autre, ce que notre esprit, nos sens, nos créations pourront en faire sans rien perdre du grand malaise originel, et sans illusion sur leurs pauvres déploiements... — chute.

*

C'est dans ses rapports à l'impensable et l'impossible que toute pensée trouve sa vibration et sa justesse la plus profonde. Idem de toute création, et de toute expression.

*

Au cœur de toute signification, l'insensé. C'en est aussi la perspective et l'horizon.

*

C'est dans l'ombre initiale, irrémédiable, que l'on construit du mieux qu'on peut la lueur qui nous est propre.

*

La parole la plus belle ne fait que signaler le silence originel qui l'affole.

*

Ce que Parménide appelle l'*être*, Héraclite le nomme peut-être *nature*.

*

Ce qui importe ce n'est pas l'évolution du roman, mais la divination des nécessités neuves du dire. Le roman est peut-être européen, le dire est assurément humain.

*

… toutes mes affres n'étaient que les dérivés de l'affre primordiale, le feu originel que le vieux poète avait fixé sans même trembler… — chute.

*

L'impensable est la frappe originelle ou génésique de la pensée.
L'impossible est la frappe originelle ou génésique de tout possible.
L'incertain est la frappe originelle ou génésique de la moindre certitude.

*

Le plus beau, le plus juste, de la remémoration, c'est quand elle pressent un avenir.

*

… il me fallait naître et renaître sans cesse à la mesure du saisissement originel.
Là, se tient toute grandeur de même que le plus grand péril…
— chute.

*

Ce qui désigne la fiction imbécile, c'est sa désertion du domaine de l'irracontable ou de l'indicible. Ce qui fait l'éclat d'une saisie narrative, c'est son inscription flamboyante dans cette génésique angoisse, comme chez Joyce, Faulkner, Perse, Glissant, Césaire ou García Márquez.

*

Je découvre le dernier mot de mon Robinson : *rencontre*. Toute individuation pleine mène à ce lieu fondateur. La rencontre.

Œuvres de Patrick Chamoiseau (suite)

Chez d'autres éditeurs

MANMAN DLO CONTRE LA FÉE CARABOSSE, théâtre conté, Éditions Caribéennes, 1981.

AU TEMPS DE L'ANTAN, contes créoles, Hatier, 1988. Grand Prix de la littérature de jeunesse.

MARTINIQUE, essai, HoaQui, 1989.

LETTRES CRÉOLES, TRACÉES ANTILLAISES ET CONTINENTALES DE LA LITTÉRATURE. MARTINIQUE, GUADELOUPE, GUYANE, HAÏTI, 1635-1975, en collaboration avec Raphaël Confiant, Hatier, 1991 (nouvelle édition « Folio essais », n° 352).

GUYANE, TRACE-MÉMOIRES DU BAGNE, essai, C.N.M.H.S., 1994.

TRACÉES DE MÉLANCOLIES, photographies de Jean-Luc de Laguarigue, Traces, 1999.

CASES EN PAYS-MÊLÉS, photographies de Jean-Luc de Laguarigue, Traces, 2000.

MÉTIERS CRÉOLES, F. Hazan, 2001.

LES BOIS SACRÉS D'HÉLÉNON, avec Dominique Berthet, Dapper, 2002.

LIVRET DES VILLES DU DEUXIÈME MONDE, Monum / Éditions du Patrimoine, 2002.

TRÉSORS CACHÉS ET PATRIMOINE NATUREL DE LA MARTINIQUE VUE DU CIEL, photographies d'Anne Chopin, HC, 2007.

QUAND LES MURS TOMBENT. L'IDENTITÉ NATIONALE HORS-LA-LOI ?, en collaboration avec Édouard Glissant, Éditions Galaade / Institut du Tout-Monde, 2007.

L'INTRAITABLE BEAUTÉ DU MONDE. ADRESSE À OBAMA, en collaboration avec Édouard Glissant, Éditions Galaade / Institut du Tout-Monde, 2009.

LE PAPILLON ET LA LUMIÈRE, illustrations de Ianna Andréadis, Éditions Philippe Rey, 2011.

Composition CMB Graphic.
Achevé d'imprimer
sur Roto-Page
par l'Imprimerie Floch
à Mayenne, le 13 février 2012.
Dépôt légal : février 2012.
Numéro d'imprimeur : 81645.

ISBN 978-2-07-013618-6 / Imprimé en France.